BERLITZ®

MAROC

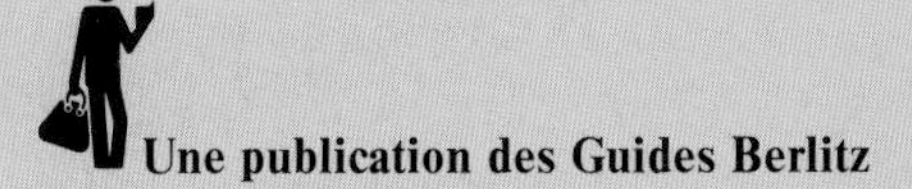

Printed in Switzerland by Weber S.A., Bienne.

13e édition (1989/1990)

Comment utiliser ce guide

- Tous les renseignements et conseils utiles avant et pendant votre voyage sont regroupés à partir de la page 101 sous le titre *Berlitz-Info*. Le sommaire des *Informations pratiques* (pp. 105–126) se trouve en page 2 de couverture.
- L'introduction, *Le Maroc et les Marocains* (p. 6), dépeint une ambiance et vous donne une idée générale sur le pays. Pour en savoir davantage, vous parcourrez la section *Un peu d'histoire* (p. 10).
- Les sites et les monuments à découvrir sont décrits entre la page 20 et la page 79. Les curiosités à voir absolument, choisies selon nos propres critères, vous sont signalées par le petit symbole Berlitz.
- Faisant suite à une section consacrée aux achats, aux sports, à la vie nocturne et au folklore (pp. 80–91), un chapitre entier est dévolu aux *Plaisirs de la table* (pp. 92–100).
- Un index, enfin (pp. 127–128), vous permettra de repérer en un clin d'œil tout ce que vous recherchez.

Bien que l'exactitude des informations rassemblées dans le présent guide ait été soigneusement vérifiée, elle n'en est pas moins subordonnée à des fluctuations temporelles. Aussi ne saurions-nous assumer de responsabilité pour des modifications de faits, d'adresses, de prix et d'autres éléments sujets à variations. Nos guides étant remis à jour régulièrement, nous examinerons volontiers toutes les remarques dont nos lecteurs voudraient bien nous faire part.

Texte établi par Tom Brosnahan
Adaptation française: Dominique Peters
Photographie: Jean-Claude Vieillefond
Maquette: Doris Haldemann
Nous remercions Cyril Glasse, Shelagh Hyner et Serge Lador de leur aide lors de la préparation de ce guide. Nous exprimons également toute notre gratitude à Royal Air Maroc et à l'Office National Marocain du Tourisme, dont l'assistance nous fut précieuse.
 Cartographie: Falk-Verlag, Hambourg.

Table des matières

Photo de couverture: Le Palais royal de Fès

Le Maroc et les Marocains

Imaginez un pays de légende confortablement installé dans la vie moderne. Un charme très particulier se dégage de sa diversité: magnificence d'un palais mauresque, parfum des orangers en fleur en pleine ville au printemps, satisfaction de l'humble savetier occupé à une tâche millénaire. Cette terre aux riches plaines, aux montagnes enneigées, aux déserts brûlants et aux mers miroitantes a de quoi vous enchanter pour plus de mille et une nuits! Tout à la fois africain, arabe et européen, le Maroc a puisé à maintes sources culturelles. Les Arabes l'appellent *al Maghrib*, «le pays du couchant», car c'est, pour eux, le bastion occidental de l'islam. Les Marocains parlent parfois de Royaume chérifien, parce que leur monarque est un descendant de Mahomet. Pour les Africains, le Maroc est un pont fertile jeté entre les étendues arides du Sahara et l'Europe, par-delà le détroit de Gibraltar. Quant aux Européens, ils y voient un mélange parfait d'exotisme et d'ambiance familière, puisqu'ils peuvent visiter le jour un bazar oriental et danser la nuit dans une discothèque.

Le triple caractère de ce pays se retrouve chez ses habitants. Les Berbères, des Blancs dont l'origine reste mystérieuse, vivent en Afrique du Nord depuis des temps immémoriaux; ils ont conservé leurs traditions et leur langue. Au VIIe siècle,

c'est aux invasions arabes que le Maroc (tout comme *al Andalous*, «l'Espagne») doit les germes d'où va éclore la civilisation la plus raffinée du Moyen Age. Les Arabes ont légué aux générations suivantes une langue, une littérature et des œuvres d'art que le monde entier admire. A notre siècle enfin, la domination européenne a transformé une

Au Maroc, le jour du marché, c'est la fête dans chaque localité, et il y a foule. Les affaires marchent et les langues vont bon train.

économie médiévale en une économie moderne grâce à la construction de routes, d'usines et de fermes.

Le Maroc a de quoi satisfaire les goûts les plus divers. Vous pourrez nager le long de rivages autrefois hantés par des pirates, explorer les montagnes d'où le géant Atlas, dit-on, soutenait le ciel, ou suivre une piste dans le désert jusqu'à une *kasba* brûlée par le soleil. Mais ces plaisirs ne sont que les hors-d'œuvre du festin: les quatre villes impériales, ainsi nommées pour avoir été à tour de rôle capitales du Royaume (ou de l'«Empire») chérifien.

Fès est la plus ancienne et la plus importante des villes islamiques du Maroc. Industrie moderne et artisanat traditionnel s'y côtoient. Les gens de Fès tirent une grande fierté de la mosquée Karaouine qui abrite encore l'une des plus anciennes et des plus prestigieuses universités religieuses du monde islamique. Si l'invraisemblable dédale des ruelles de la grande *médina,* la vieille ville, n'a pas de secrets pour les habitants de Fès, le visiteur, lui, ne s'y retrouvera pas sans un bon guide.

Marrakech, la deuxième ville impériale – presque aussi ancienne que Fès – monte la garde dans le sud du pays depuis près de mille ans. Les montagnards du Haut Atlas et les nomades du Sahara se mêlent aux touristes dans les rues d'une ville qui perpétue, en toute sérénité, le mode de vie traditionnel des Berbères.

Meknès, la troisième cité impériale, est le Versailles du Maroc. Elle fut bâtie à la même époque que le château de Louis XIV par un sultan inhumain, mais visionnaire, qui sut donner forme à ses rêves de grandeur. Aujourd'hui, les ruines d'immenses palais témoignent du haut degré atteint par la civilisation marocaine.

Rabat, enfin, est la capitale de l'actuel Royaume chérifien. Les rues où paradaient jadis les corsaires voient défiler aujourd'hui les luxueuses limousines des ministres et des diplomates. Propre, gaie, moderne et pas trop étendue, la ville a gardé son caractère romantique: le visiteur croit entendre, sorti du passé, le lointain écho des coups de canons tirés par les pirates.

Que vous restiez une semaine ou un an au Maroc, vous serez sous le charme, et vous n'échapperez pas à ses sortilèges...

Décor de théâtre ou scène de rue? A Tiznit, le temps n'a de prise ni sur les gens ni sur les choses.

Un peu d'histoire

Selon la légende, l'histoire de cette région d'Afrique a débuté avec la naissance des dieux, au temps où Atlas et les autres Géants qui gouvernaient l'univers furent renversés lors d'une révolution céleste conduite par Zeus. Le destin d'Atlas était de porter à jamais le ciel sur ses épaules. Les siècles ont passé et le géant s'est métamorphosé en une chaîne de montagnes, qui porte aujourd'hui son nom.

Mais laissons là ces mythes... A l'âge de la pierre, le Sahara était une vaste savane. Progressivement, cette région s'est desséchée au point que, depuis quelque 5000 ans, le Maroc est pratiquement isolé par le désert. Dès l'aube de notre ère apparaissent les Berbères (le nom leur fut donné par les Grecs et les Arabes). Personne ne sait d'où ils venaient. Certaines théories avancent qu'ils sont d'origine celte, basque ou même cananéenne. Toujours est-il qu'ils ont conservé leur langue et leurs coutumes...

Les Phéniciens, ces grands navigateurs méditerranéens, vinrent de Tyr et de Sidon pour fonder, vers 1100 avant J.-C., leur premier comptoir, Lixus, au (futur) Maroc. Au cours du millénaire suivant, leurs descendants, les Carthaginois, fondèrent d'autres comptoirs, notamment à Tanger, et élevèrent une ville à l'emplacement de l'actuel Rabat.

Permanence de l'artisanat: arcades exécutées dans les années 1960.

Aux IVe et IIIe siècles avant notre ère, il existait nombre de petits royaumes berbères disséminés dans tout le pays. Plus de mille ans après cette floraison, les Berbères devaient édifier de

puissants empires et régner sur toute l'Afrique du Nord et une partie de l'Espagne. Mais cette hégémonie berbère fut entrecoupée d'époques de domination étrangère: romaine d'abord, puis arabe.

Le «Maroc romain»

Si chaque mariage a quelque chose de divin, peu de jeunes couples sont vénérés à l'égal d'un dieu et d'une déesse comme le furent, au temps où Rome gouvernait l'*Africa,* le roi Juba II et son épouse, Cléopâtre Séléné. Juba, lui-même fils d'un roi berbère, reçut l'éducation d'un citoyen romain de haut rang. Il fut ensuite nommé gouverneur de Mauritanie (ou Maurétanie), province romaine qui s'étendait sur le Maroc et l'Algérie actuels. Quand le jeune Juba monta sur le trône, en 25 avant J.-C., l'empereur lui donna pour femme la propre fille d'Antoine et de Cléopâtre, Cléopâtre Séléné. Juba régna pendant près de cinquante ans. Il encouragea le commerce et l'«industrie» et voyagea jusqu'en Arabie pour rassembler les éléments des nombreux livres qu'il écrivit.

L'Empire arabe

La vague d'armées conquérantes qui, venue d'Arabie, déferla jusqu'au Maroc au VIIe siècle, représente un phénomène unique dans l'histoire. Avant la venue du prophète Mahomet, les Arabes formaient des tribus (sémites) éparpillées sur une terre brûlante et aride. Pour gagner leur subsistance – des dattes et du lait de chamelle –, ils faisaient du commerce caravanier ou lançaient des raids contre les tribus voisines. Mais en 610, un événement remarquable se produisit: Mahomet, un marchand de La Mecque, fut choisi par Allah pour être Son Messager.

Pendant les premières années de l'*islam* (mot qui peut se traduire par «soumission à la volonté divine»), les croyants étaient organisés en une étroite communauté religieuse ayant à sa tête Mahomet lui-même. Mais la communauté islamique s'élargit rapidement: elle leva des armées et engagea des opérations militaires. Au cours du siècle qui suivit la mort de Mahomet (632), les armées arabes conquirent tout le Proche-Orient (y compris la Perse), l'Afrique du Nord, et même une partie de l'Espagne et de la France.

Parmi les généraux arabes, plusieurs se montrèrent de grands chefs, pleins de hardiesse et d'allant. Mais aucun n'égala Oqba ibn Nafi. Ses armées s'emparèrent de Tanger en 683, et rien ne l'aurait arrêté s'il n'avait trouvé un jour la mer devant lui. Oqba se tourna alors vers le sud, entraînant ses armées jusqu'à Volubilis, l'ancienne capitale romaine. De là, il marcha sur ce qui est aujourd'hui Marrakech, puis sur Agadir, pour atteindre enfin les abords du désert. Dans ce Sud marocain, Oqba rencontra des tribus berbères. Surpris par ces *hommes* au visage voilé, il reconnut qu'il avait en face de lui de terribles adversaires. De fait, ces hommes du désert allaient bientôt se rendre maîtres de tous les territoires qu'il venait de conquérir.

Oqba mourut en regagnant l'Arabie, mais une nouvelle génération de chefs intrépides reprit son combat. Ces Maures, comme on les appelait, allèrent planter leur bannière et propager leur foi jusqu'en France (ils furent finalement arrêtés par Charles Martel à Poitiers, en 732). Quant à l'Espagne, l'islam allait y représenter, pendant six siècles, la puissance dominante.

Moulay Idriss

La communauté islamique ne demeura pas longtemps un Etat monolithique. Elle était trop vaste et composée d'éléments trop disparates (et même de peuples non musulmans). Plusieurs régions furent bientôt gouvernées par des princes et des potentats locaux.

Etre un descendant du Prophète constituait la meilleure preuve de noblesse. Idriss pouvait s'enorgueillir de ce titre. Arrivé au Maroc en 788, il gagna rapidement le cœur des tribus berbères de Volubilis. Moulay (littéralement «mon maître») gouverna grâce à ses officiers arabes et à sa garde personnelle, mais les Berbères se joignirent à lui de leur plein

Juba II, roi-dieu de Mauritanie, grand voyageur devant l'Eternel.

gré. Il devait une partie de sa puissance et de son influence grandissantes à la *baraka* (bénédiction divine). Cependant, le calife de Bagdad, le grand Haroun al-Rachid, prit ombrage d'une telle réussite et le fit assassiner. Le saint homme fut enterré près de Volubilis. La ville où se trouve sa tombe (elle porte son nom) est considérée comme l'un des lieux les plus sacrés pour les musulmans marocains.

Le femme de Moulay Idriss, une Berbère, donna naissance à Idriss II qui continua l'œuvre de son père, en particulier la construction d'une splendide capitale, digne de l'Empire idrisside, à Fès, à l'emplacement qu'occupe depuis la mosquée Karaouine. A la mort d'Idriss II, en 828, son empire fut partagé entre ses fils et l'Etat s'affaiblit. Mais Fès demeura la principale ville musulmane du Maroc.

Les conquérants almoravides

Rien ne laissait prévoir que la dynastie suivante serait fondée par des tribus berbères originaires des steppes méridionales. Abdullah ibn Yasîn, un jeune étudiant en théologie venu de la région d'Agadir pour convertir les Berbères, se révéla bientôt un chef spirituel énergique. Son enseignement se fondait sur la discipline la plus stricte. Certains Berbères, trouvant la loi d'Ibn Yasîn trop dure, le chassèrent vers le Sud. Alors, Ibn Yasîn et ses fidèles traversèrent le désert et édifièrent, sur la côte méridionale de la Mauritanie, un couvent fortifié où la discipline fut encore renforcée pour préparer la revanche. Bientôt, ces puritains, peu nombreux, reprirent l'offensive au Maroc, imposant partout leur propre rigorisme. En 1056, ils s'étaient emparés de Taroudannt; huit ans plus tard, ils installèrent une petite forteresse à Marrakech.

Malgré leur attitude déplaisante, ces Almoravides – comme on les appelle – marquèrent le début de l'âge d'or de la culture et de l'art marocains. Ces nomades frustes venus du désert adoptèrent les coutumes plus civilisées des autres Berbères et Arabes qu'ils côtoyaient en parcourant le Maroc. Apprenant que les chefs musulmans d'Espagne subissaient les attaques des chrétiens, les Almoravides volèrent à leur secours, en 1086, sous la conduite d'un général exceptionnel, Youssef ibn Tachfîn. Bientôt, Youssef fut le monarque le plus puissant non seulement du Maghreb, mais de l'Espagne. Ses soldats adoptèrent les habitudes et les goûts des musulmans espagnols, dissolus, mais extrêmement cultivés. L'art et l'architecture mauresques se répandirent alors dans tout le Maroc, en particulier jusqu'à Marrakech. C'est pourtant dans l'ancienne cité de Fès, déchue de sa suprématie, que les Almoravides élevèrent la superbe mosquée Karaouine.

Almohades et Mérinides

Youssef ibn Tachfîn mourut en 1107. Quelques années plus tard, un autre étudiant en théologie, le Marocain Mohammed ibn Toumert, s'en fut visiter les prestigieux collèges coraniques du cœur de l'Arabie. A son retour, rempli de ferveur, il prêcha un conservatisme religieux comparable à celui des premiers Almoravides, et que beaucoup trouvèrent insupportable. Un jour, il arrêta un cortège nuptial, forçant la mariée à descendre de selle («Une femme doit aller à pied!») et brisant tous les instruments de musique de la noce. On ne se priva pas de prier Ibn Toumert de s'occuper de ses propres affaires, mais de nombreux fanatiques se groupèrent autour de lui. Faute de recevoir un bon accueil auprès de la population, ils suivirent l'exemple des premiers Almoravides et se retranchèrent dans un couvent fortifié, à Tinmel (ou Tinmal), dans le Haut Atlas, entre Marrakech et Taroudannt. C'est de cette retraite qu'Ibn Toumert allait forger son empire.

La discipline et le zèle religieux triomphèrent une fois de plus, et l'Empire almohade, fondé dans les années 1140, dura plus d'un siècle. Le Maroc lui doit l'une de ses grandes périodes de civilisation, et la puissance des Almohades s'étendit à l'Algérie, à la Tunisie, à la Libye, tout en pénétrant profondément en Espagne. La culture mauresque d'Andalousie gagna le cœur des Almohades, comme elle avait gagné avant eux celui des Almoravides. On trouve des reflets de cet art andalou dans les monuments almohades les plus remarquables: la mosquée de la Koutoubia et son minaret, à Marrakech; la tour Hassan et la porte de la kasba des Oudaïa, à Rabat. La science, elle aussi, accomplit de grands progrès, surtout dans les provinces espagnoles. Le musulman Ibn Rachid (Averroès), célèbre juriste, médecin et philosophe, brilla au firmament de la civilisation des Almohades. Après l'inéluctable déclin de l'Empire almohade, une autre dynastie berbère, celle des Mérinides, allait devenir le foyer de la vie marocaine.

Ces puissantes murailles de boue séchée inspiraient quelque respect à l'époque où des guerriers les garnissaient. Les temps ont changé...

Un siècle de domination mérinide devait assurer la gloire de Fès, comme la domination almohade avait assuré celle de Marrakech. Pour embellir leur ville, les Mérinides construisirent Fès la Nouvelle (Fès el Jédid) et, dans les vieux quartiers, deux merveilleuses *médersas* (collèges coraniques): el Attarîn (1325) et Bou Inania (1355). On peut encore voir les ruines des tombeaux des rois mérinides en haut d'une colline qui domine Fès, et, à Rabat, l'impressionnante nécropole de Chella. C'est également sous les Mérinides que fut édifié, en Espagne, le somptueux Alhambra de Grenade.

L'offensive des Européens

Alors que les Mérinides étaient sur leur déclin, la Renaissance débutait en Europe. Et les princes chrétiens voyaient croître leur puissance et leur prospérité, tandis que la science accomplissait de grands progrès. Bientôt, inventions et décou-

vertes laissèrent les pays musulmans loin en arrière. Les navires chrétiens (vaisseaux de guerre et pirates) écumèrent les côtes marocaines. Dès les premières années du XVIe siècle, les Portugais occupèrent des villes importantes sur l'Atlantique; en 1580, les Espagnols prirent Sebta (Ceuta).

Les Saadiens, autres descendants du prophète Mahomet, s'emparèrent alors du pouvoir, tentant de redresser la situation du Maroc et de faire échec aux chrétiens. Cependant, à la fin de leur règne (1659), l'ère de splendeur et d'indépendance que le pays avait connue était révolue.

La Renaissance alaouite

Le pouvoir passa alors dans les mains d'autres descendants du Prophète, les Alaouites. En 1672, ils avaient repris Marrakech, et le premier de leurs grands sultans, Moulay Ismaïl, inaugurait un règne qui devait durer jusqu'en 1727. Si Moulay Ismaïl avait des appétits insatiables (on dit qu'il engendra plus de mille enfants), il était aussi assoiffé de gloire. Délaissant les villes impériales, Fès et Marrakech, il fit construire sa propre capitale, Meknès, sans lésiner sur l'aspect monumental de la ville et de son palais.

Les chérifs qui lui succédèrent ne firent pas preuve d'autant de vigueur et d'imagination, et, pendant quelques décennies, le Maroc sombra dans l'anarchie et la pauvreté. Malgré l'accession au trône de quelques souverains très capables, l'Europe avait à ce point devancé l'islam, sur le plan scientifique et économique, que la domination du Maroc par les Européens devenait inévitable.

Le Protectorat franco-espagnol

Pendant tout le XIXe siècle, les sultans alaouites tentèrent habilement de dresser l'une contre l'autre les puissances européennes appâtées par le Maroc. Non seulement l'Espagne et la France s'intéressaient de plus en plus à ce pays, mais l'Allemagne commençait à s'en servir comme d'un pion dans ses projets coloniaux. En 1905, le kaiser Guillaume II débarqua en grande pompe à Tanger, ce qui fit dangereusement monter la tension entre les grandes puissances. Les véritables intérêts allemands étaient cependant ailleurs sur le continent africain.

En 1912, le Maroc tout entier devint un protectorat. Sous l'administration clairvoyante et efficace du maréchal Lyautey, la France contrôlait désormais la plus grande partie du pays avec le Centre et le Sud. L'Espagne, elle, contrôlait le Nord, sauf Tanger, déclaré ultérieurement zone internationale et gouverné par une commission formée de Marocains et de représentants du Protectorat.

Ce Protectorat apporta au pays les avantages de la science, de la technologie et de la culture européennes: des routes et des bâtiments publics furent construits, l'agriculture et l'industrie minière encouragées. Mais des troubles éclatèrent, car pour les jeunes Marocains des années 1920, le progrès sans l'indépendance n'était qu'un vain mot. Le prince héritier de la dynastie alaouite qui, en 1927, devint, à l'âge de dix-sept ans, le sultan Mohammed V, ne put faire beaucoup plus qu'encourager de sa sympathie le mouvement pour l'indépendance.

L'indépendance

Quand la France fut coupée en deux durant la Seconde Guerre mondiale, au Maroc, les partisans de la liberté fondèrent au grand jour l'Istiqlal (parti de l'Indépendance). Le sultan, bien que de cœur avec eux, devait faire preuve de prudence pour ne pas s'attirer personnellement les représailles du Protectorat. Une fois la guerre finie, la répression se durcit. Mohammed V, déchu de son trône par les Français, fut exilé avec sa famille en Corse, puis à Madagascar. Les souffrances qu'il avait endurées pour son peuple firent de lui un symbole de courage et un héros de la résistance nationale. En 1955, la France dut rappeler le sultan. Mohammed V, salué comme le sauveur de son pays, voyait ses efforts récompensés par la signature d'un traité mettant fin à l'occupation française. Le Maroc redevenait indépendant en 1956, sous l'autorité d'un Alaouite.

Mohammed V avait à peine mis sur pied d'ambitieux pro-

Casablanca, «Casa la Blanche», métropole et vivant symbole du Maroc, ne manque point de s'enorgueillir d'une modernité quasi exemplaire.

jets de progrès et de développement qu'il mourut, en 1961, à la suite d'une opération bénigne. Cette mort prématurée du plus grand souverain alaouite depuis Moulay Ismaïl plongea la population dans la consternation: quelque 17 millions de Marocains lui ont gardé une place dans leur cœur. Le prince héritier, Hassan II, qui monta alors sur le trône, a poursuivi la tâche de son grand prédécesseur: forger pour son pays un avenir plus prospère.

Avant le retrait de l'Espagne du Sahara espagnol, Hassan II devait organiser une marche pacifique, la «Marche verte». Le 6 novembre 1975, quelque 350000 volontaires, franchissant la frontière dans un grand élan de ferveur populaire, revendiquèrent le territoire de l'ancienne colonie. L'accord tripartite signé entre le Maroc, l'Espagne et la Mauritanie à Madrid en avril 1976, devait fixer officiellement les nouvelles frontières.

Que voir

Sommet obligé de tout voyage en ce Maroc à la beauté captivante: les quatre villes impériales. Ce sont elles qui révèlent le mieux la magnificence des empires marocains du passé et le raffinement saisissant de l'artisanat mauresque. C'est en déambulant dans les ruelles d'une *médina*, en admirant, sur les pas des monarques musulmans du Moyen Age, les chefs-d'œuvre de l'architecture islamique, que vous connaîtrez des moments inoubliables. Ensuite, pour changer de décor, poussez une pointe jusqu'au Sahara, ou restez quelques jours à vous dorer au soleil sur une plage au sable fin.

Mini-lexique

Voici quelques-uns des mots que vous entendrez le plus souvent, au Maroc:

aïd	jour de fête
aïn	source
bâb	porte
baraka	bénédiction divine
bordj	fort, forteresse
(d)jamaa	mosquée
djébel	montagne
djellaba	tunique à manches longues
fondouk	entrepôt, caravansérail
kasba (ou *casbah*)	citadelle dans une *médina*
ksar (pl. *ksour*)	village fortifié
médersa	école (religieuse)
médina	vieille ville
mellah	quartier juif
moulay	maître
moussem	pèlerinage suivi de festivités
oued	cours d'eau temporaire
souk	marché

Rabat

La première ville du Maroc moderne est aussi la dernière-née des cités impériales *(makhzen)*. Dès le IIIe siècle av. J.-C., une agglomération se trouvait sur l'estuaire du Bou Regreg: Sala. Mais, au Xe siècle de notre ère, un *ribat* (couvent fortifié) fut édifié à l'extrémité occidentale de la rive sud de l'estuaire.

Rabat prit de l'importance sous les Almohades, qui l'appelèrent Ribat el Fath (*ribat* de la Victoire). Ils dressèrent l'enceinte protectrice de la kasba des Oudaïa et la tour Hassan, minaret d'une future mosquée.

En 1912, le maréchal Lyautey, résident général, y installa ses quartiers. Après le Protectorat, quand le Maroc eut recouvré son indépendance, Rabat devint la capitale administrative du royaume.

RUE DES CONSULS, CAFÉ MAURE, JARDIN ANDALOU, KASBA DES OUDAÏA
Oued Bou Regreg
SALÉ, GRANDE MOSQUÉE, BÂB EL MRISA, MÉDERSA ABOU EL HASSAN, PLAGE DES NATIONS
MEDINA
MELLAH
Grande Mosquée
Cimetière musulman
Muraille des Andalous
Place du Mellah
Synagoge
Place Sidi Makhlouf
Tour Hassan
Mausolée Mohammed V
Boulevard Hassan II
Triangle de Vue
Place de Melilya
Préfecture
Banque du Maroc
P.T.T.
Place Washington
Place du Golan
St.-Pierre
Gare
Place des Alaouites
Place Pietri
Place de l'Unité africaine
Place Abraham Lincoln
O.N.M.T.
MEKNES, FÈS
Place Moulay Ali Chérif
Musée Archéologique
Place Jamaa Assouna
Bâb er Rouah
Grande Mosquée
Place A. Chefchaoûni
Quartier des Ministères et Ambassades
Méchouar
Mosquée el Faeh
0 200 m
N
Palais du Roi
RABAT
Bâb Zaers
Porte
Nécropole du Chella
Boulevard Moussa Ibn Nossair
Avenue Yacoub el Mansour
Avenue Mohammed V
Avenue Président Roosevelt
Av. de Marrakech
Avenue d'Ouarzazate
Av. A. Saouira
Av. des Zaers
Avenue d'Alger
Bd. du Bou Regreg
Bd. Ibn Ziyad
Av. Soômat Hassan
Rue Moulay Ismaïl
Rue Patrice Lumumba
Rue Abderrahman Aneggai
Rue al Mansour ad Dahbi
Avenue Allal ben Abdallah
Av. Moulay Abdallah
Av. Moulay Youssef
Av. Moulay Hassan
Rue Moulay Abdal Aziz
Rue Youssef ben Tachfine
Rue Moulay Ali Chérif
Rue Tanja
Rue du Chella
Rue Abou Faris al Marini
Rue al Forat
Rue Ar Riyad
Rue d'Annaba
Rue de Tunis
Rue d'Oujda
Rue Idriss al Akbar
Rue Makka
Rue al Mariniyne
Rue Moulay Rachid
Rue al Mouahhidine
Rue Abdelmoumen
Rue Ziri ibn Aatia
Rue Melilya
Rue Bou Kroun
Rue Souika
Rue de Yougoslavie
Rue al Qods
Avenue de Meknès
Rue d'Ouihrane
Avenue Fès
Baghdad

Rabat aujourd'hui

Capitale d'un Etat moderne, ornée de beaux édifices publics et de boulevards ombragés, Rabat se caractérise surtout par son atmosphère agréable et détendue. Dans la principale artère de la ville moderne, l'**avenue Mohammed V,** vous verrez les bâtiments des administrations, la gare, la poste centrale, des banques. Les piétons, laissant la chaussée à la circulation, trépidante et bruyante, recherchent l'ombre des arcades, leurs multiples boutiques et leurs accueillantes terrasses de cafés. L'avenue Mohammed V est un lieu où il fait bon flâner, regarder les vitrines et préparer sa prochaine promenade en sirotant un thé à la menthe.

La visite de la ville ne serait pas complète si vous ne vous rendiez au **mausolée de Mohammed V,** érigé par la nation à la mémoire de son grand homme.

Une garde d'honneur, composée de lanciers royaux en uniforme resplendissant, veille sur la tombe. En passant entre deux de ces cavaliers, vous remarquerez leurs superbes montures et les selles marocaines à haut dossier. La tombe s'insère dans un complexe qui date des années 1960, mais qui témoigne à merveille de l'opulence artistique traditionnelle du Maroc. Le mausolée, la mosquée à sa droite et les autres constructions sont décorés de marbre blond, de pierres ornementales, de carreaux polychromes et de bronze ciselé. A l'intérieur du mausolée, le sarcophage d'onyx est posé à même le sol et les visiteurs le dominent depuis une galerie circulaire. D'une coupole aux riches dorures descend un énorme lustre de bronze qui oscille doucement au-dessus du sarcophage. Des gardes à l'allure fringante, vêtus d'amples capes et armés de fusils berbères, veillent au respect de la bienséance à l'intérieur du mausolée et sur la terrasse.

Toute la journée, des visiteurs – marocains ou étrangers – viennent en flot continu admirer ce chef-d'œuvre qu'est le mausolée sur le plan artistique ou rendre hommage au chef spirituel de la nation, au père de l'indépendance. Le musée et la bibliothèque attenants au tombeau abritent d'ailleurs divers souvenirs relatifs à Mohammed V.

Le site choisi pour le tombeau de ce grand monarque est

Les bâtisseurs de la tour Hassan ont conçu ces dentelles de pierre d'une délicatesse insurpassable.

proche de la mosquée Hassan – aujourd'hui en ruine –, qu'un sultan almohade fit construire à la fin du XIIe siècle. Ce souverain mourut avant l'achèvement des travaux, et le corps de bâtiment n'a pas survécu aux épreuves du temps. Seul le minaret, appelé **tour Hassan,** constitue, bien qu'inachevé, un témoin de cet art almohade auquel on doit également la Koutoubia à Marrakech (et la Giralda à Séville). Les motifs décoratifs, en haut de la tour, évoquent de manière stylisée des couches de nuages superposées, ce qui ajoute à l'impression d'élévation. De la plateforme supérieure, on domine le Bou Regreg, et le panorama est impressionnant.

La kasba des Oudaïa (dont les canons ne sont pas trop redoutables) domine le Bou Regreg; et l'histoire se mire dans le fleuve du temps.

La médina

A Rabat, la vieille ville est moins grouillante, moins «exotique» que d'autres *médinas* décrites dans ce guide. Bien que ses ruelles pittoresques et ses boutiques attirent nombre de touristes étrangers tout au long de l'année, ce sont surtout les Marocains et les membres du corps diplomatique qui s'y rendent. Aussi, rares seront les gamins qui s'offriront à vous guider.

Suivez vers le nord l'avenue Mohammed V; vous franchirez d'abord la **muraille des Andalous** (XVIIe siècle) pour atteindre, sur votre gauche, le pimpant marché municipal. Tournez ensuite à droite dans la **rue Souïka.** Vous y trouverez tout ce qu'apprécient les touristes – objets de cuir ou de cuivre –, mais les boutiques vivent surtout de leur clientèle habituelle. Même dans les plus petites d'entre elles, vous verrez un incroyable entassement (unique au monde, semble-t-il) de gadgets transistorisés ou quelque volumineux étalage de pieds de moutons et de bœufs ou encore assez de souliers pour chausser une armée de clients. Après quelques minutes de promenade, entrez dans la pénombre du **Souk es Sebat,** et vous constaterez que les marchés marocains n'ont rien à envier à nos grands magasins. Où ailleurs pourriez-vous trouver aussi bien d'exquises bagues en or que des têtes de moutons, un kilo de pois chiches (grillés ou non) ou des babouches de cuir jaune, si agréables à porter?

Au sortir du Souk es Sebat, le plein soleil vous surprendra. Tournez à gauche dans la **rue des Consuls,** la plus séduisante de la *médina* aux yeux des touristes: on y trouve en effet des bijoux, des tapis et des antiquités. Si vous désirez une *djellaba* ou un *caftan*, les marchands sauront souvent vous en trouver à votre taille et vous aider à faire votre choix. Ils se tiennent assis, chacun devant sa boutique sur un trottoir soigneusement balayé, et attendent patiemment en regardant défiler les passants qu'on ait besoin de leurs services. Le tout dans une ambiance typique et très plaisante.

La rue des Consuls conduit à l'impressionnante **kasba des Oudaïa** (XIIe siècle), aux murailles massives percées de meurtrières, ses canons prêts à tirer. La **porte** monumentale de la *kasba* est une des réussites les plus orgueilleuses de l'architecture almohade. Gracieux malgré leur puissance, les arcs en fer à cheval de la façade encadrent de longues inscriptions en caractères coufiques*. Plusieurs motifs décoratifs s'inspirent de thèmes nautiques, comme il se doit pour ce bastion de l'Atlantique. Partout, des coquillages stylisés; et vous remarquerez des proues au fronton d'une petite colonnade. Reculez-vous pour avoir une vue d'ensemble sur les cinq arches qui composent cette porte.

La *kasba* s'élève sur l'emplacement de l'ancien *ribat*, le couvent fortifié qui a donné son nom à la capitale marocaine. Le site était propice à la défense de la ville: c'est pour cette raison que le sultan Moulay Ismaïl y installa, au XVIIIe siècle, des mercenaires arabes, les turbulents Oudaïa.

Aujourd'hui, la *kasba* est un quartier résidentiel; sous leurs porches pittoresques, les portes des maisons sont ornées de clous de fer forgé. A l'autre bout de la **rue Jamaa,** l'artère principale, une esplanade, aménagée sur les fortifications, domine l'estuaire du Bou Regreg et Salé, la «jumelle» de Rabat.

De là, en descendant quelques escaliers, on gagne un petit café-restaurant d'où le regard plonge dans l'Océan. De plus bas encore, on découvre le cimetière musulman, la jetée, le phare, les brisants.

D'un autre belvédère, à l'extrémité de la rue Lâalami, vous apercevrez la ville moderne en amont de la rivière, par-delà les vieilles murailles couvertes de fleurs sauvages. La kasba des Oudaïa répond assurément à l'idée, même la plus romantique, que vous vous faites d'une *kasba*.

Descendez ensuite la rue Bazzo pour une pause agréable au célèbre **Café Maure,** à l'ombre de ses tonnelles ou des larges feuilles de son vieux figuier.

Du café même, une porte ouvre sur le délicieux **jardin andalou** de la *kasba*. Tout y pousse, des roses aux bananes, et les lieux sont «défendus» par des canons de bronze. Vous gravirez l'escalier qui, du jardin, mène au **musée des Oudaïa,** le musée des arts traditionnels marocains.

La cour de l'édifice est celle d'une maison seigneuriale des années 1690, récemment restaurée. Les collections comportent des poteries, bleues ou polychromes, des objets de fine ébénisterie et des bijoux en or ou en argent insolites.

---

* L'arabe s'écrit de deux façons: en écriture nestique, souple et élégante, et en coufique, plus anguleuse, aux caractères souvent surmontés de signes complexes et noueux.

Visitez aussi le **musée national de l'Artisanat** (6, Tarik el Marsa), qui expose tapis, céramiques et meubles anciens. En face, une coopérative, l'Ensemble artisanal, vend le *nec plus ultra* de la production contemporaine.

Chella

L'antique cité romaine de Sala était située hors les murs de l'actuel Rabat. Après le déclin de Sala, les sultans mérinides firent de cet emplacement une nécropole et, au XIVe siècle, ils l'entourèrent de solides remparts. De nos jours, cette forteresse porte le nom de **Chella** et, outre des tombes de saints et des ruines romaines, elle renferme un parc qui fait le ravissement des enfants. Vous entrerez par une porte imposante et richement ornementée, et, vous suivrez longuement un sentier à travers un jardin (qui mêle les plantes exotiques et familières) jusqu'à une petite plantation de bambous et de bananiers. Là, on a submergé sept anciennes boutiques, de façon à former un charmant bassin où glissent des anguilles et où les enfants jettent des pièces dans l'espoir de voir leurs vœux se réaliser...

Non loin, vous verrez une mosquée très délabrée; des arbres gigantesques ont troué son toit sous lequel, jadis, les fidèles venaient prier. De sa magnificence passée, il ne reste que des traces de faïences multicolores, surtout sur le minaret. En passant à droite ou à gauche du *mihrab* (niche à prière), vous déboucherez dans un joli jardin où se trouve une tombe décorée d'arabesques.

En contrebas de la mosquée, près d'une **cour** aux élégantes décorations, des salles abritent les vestiges d'un système d'adduction d'eau, formé d'un réseau compliqué de canalisa-

Les pirates de Salé

Aux XVIIe et XVIIIe siècles, les pirates barbaresques disputaient âprement aux chrétiens la maîtrise des mers. Rapides et habiles, ces corsaires musulmans venaient de tous les points de la côte de Barbarie (le littoral de la Tunisie, de l'Algérie et du Maroc), mais les plus fameux de ceux qui opéraient dans l'Atlantique avaient pour port d'attache Rabat ou Salé. Ces écumeurs s'attaquaient non seulement aux bateaux chrétiens mais aussi aux villes côtières d'Espagne, de France, voire d'Angleterre. Une fois même, on les vit croiser au large de Terre-Neuve! Leur dernier raid eut lieu en 1829.

tions en terre cuite. Ces salles servaient autrefois aux ablutions que la religion musulmane exige avant les cinq prières quotidiennes.

L'accès aux ruines romaines, que vous apercevrez sur la colline et où des fouilles sont en cours, est interdit au public. Mais un coup d'œil d'ensemble vous donnera une idée de ce qu'était l'antique Sala.

Le Musée archéologique

Il est situé dans la ville moderne. Juba II aurait aimé ce musée qui contient la belle collection d'antiquités de Rabat. Une photographie aérienne de Volubilis montre bien les dimensions et l'importance de cette ancienne cité romaine (à 26 km. de Meknès; voir p. 43). Mais les collections ne sont pas limitées à la période romaine: elles couvrent toute l'histoire du Maroc, de l'âge de la pierre à la période alaouite. Dans la salle des Bronzes antiques, une ravissante statuette, l'*Ephèbe couronné de lierre*, tient compagnie au **buste de Juba II.**

Salé

A l'embouchure du Bou Regreg, cette ville, jumelle de Rabat, fut fondée au XIe siècle. Cité marchande florissante au Moyen Age, elle n'est plus aujourd'hui qu'une banlieue de la

capitale. Salé, qui se souvient pourtant de son passé glorieux, a su préserver quelques imposantes mosquées et *médersas* et de solides remparts.

Vous prendrez la route qui, de la tour Hassan, descend vers le Bou Regreg; vous traverserez cet *oued* et franchirez la Bâb el Mrisa, la première porte de

La Chella? C'est un havre de paix avec ses ruines romaines et ses tombeaux de marabouts noyés sous une végétation exquise et profuse.

l'enceinte. Tout en vous promenant dans le vieux quartier juif, le *mellah*, vous gagnerez le centre de la ville. Vous n'y rencontrerez guère de boutiques pour touristes. Seuls les gens du pays viennent ici faire leur marché parmi les étalages hauts en couleur où s'entassent des fruits et des légumes, ainsi que des bottes de menthe fraîche et odorante pour le thé.

La **Grande Mosquée,** au bout de la rue à laquelle elle a donné son nom, vous impressionnera par le haut porche de son perron. Vous n'aurez le droit d'y pénétrer que si vous êtes musulman*, mais vous pourrez toujours jeter un coup d'œil à la **médersa Abou el Hassan,** l'ancien collège coranique, aujourd'hui déserté. Pour visiter, frappez à la petite porte, à votre gauche. Le gardien, qui fait office de guide, vous accompagnera. Jusqu'à environ 1,80 m. du sol, les murs sont couverts de faïences. Au-dessus, vous admirerez les sculptures en bois de cèdre et les **stucs,** dont les intrications comptent parmi les plus belles du Maroc. Des oiseaux nichent au milieu de ces trésors et s'amusent à piquer sur les visiteurs.

Montez sur les toits et voyez, en chemin, les cellules occupées jadis par les étudiants en théologie. C'est du haut de l'escalier que vous pourrez découvrir la cour de la mosquée voisine et bénéficier d'un **panorama** incomparable sur Rabat et ses monuments, sur Salé et l'*oued.*

---

* Dans tout le Maroc, cette règle s'applique très strictement pour les mosquées et autres édifices religieux.

Excursions à partir de Rabat

Casablanca

Depuis l'époque où les Portugais s'emparèrent de cette ville, au XVe siècle, et la rebaptisèrent Casa Branca («maison blanche»), elle est restée la plus européenne du Royaume chérifien. Sous le Protectorat, elle devint la plus grande ville et, aussi, le premier centre commercial et industriel du Maroc. Si on la connaît aujourd'hui sous son nom espagnol de Casablanca (ou «Casa»), cette dénomination a été arabisée en Dar el Beïda. C'est une ville moderne en tout point: même s'il s'y était trouvé des ruines des temps passés, sans doute auraient-elles été «noyées» par la croissance prodigieuse d'une agglomération qui compte près de quatre millions d'habitants. «Casa» n'est qu'à 92 km. de la capitale, Rabat.

La **'place Mohammed V** constitue le cœur de la Casablanca moderne. Là où, vers 1900, il n'y avait encore qu'une étendue désolée, les principales artères de la ville se croisent à présent et la foule se presse autour des magasins, des cinémas, des cafés, des agences de voyages.

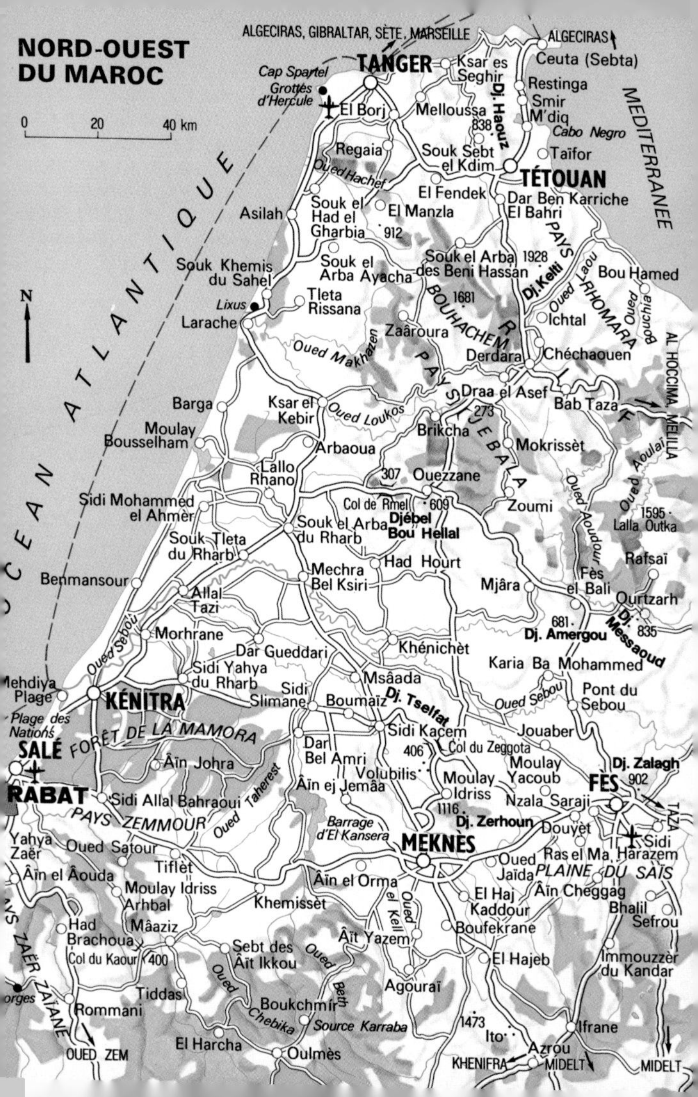
NORD-OUEST
DU MAROC
0 20 40 km
N
ALGECIRAS, GIBRALTAR, SÈTE, MARSEILLE
ALGECIRAS
TANGER
Cap Spartel
Grottes d'Hercule
El Borj
Ksar es Seghir
Ceuta (Sebta)
Restinga
Smir
M'diq
Cabo Negro
MEDITERRANEE
Melloussa
Dj. Haouz
838
Regaia
Souk Sebt el Kdim
Taïfor
TÉTOUAN
Oued Hachef
El Fendek
Dar Ben Karriche
El Bahri
Asilah
Souk el Had el Gharbia
El Manzla
912
OCEAN ATLANTIQUE
Souk Khemis du Sahel
Souk el Arba Ayacha
Souk el Arba des Beni Hassan
1928
PAYS RHOMARA
Dj. Kelti
Bou Hamed
Lixus
Larache
Tleta Rissana
BOUHACHEM
1681
Oued Laou
Oued Bouchia
Ichtal
RIF
Oued Makhazen
Zaâroura
Derdara
Chéchaouen
AL HOCCIMA, MELILLA
Barga
Ksar el Kebir
Oued Loukos
Draa el Asef
Bab Taza
PAYS JEBALA
273
Moulay Bousselham
Brikcha
Mokrissèt
Arbaoua
Oued Aoulaï
Lallo Rhano
307
Ouezzane
Oued Aoudour
Sidi Mohammed el Ahmèr
Col de Rmel
609
Zoumi
Djébel Bou Hellal
1595
Lalla Outka
Souk el Arba du Rharb
Souk Tleta du Rharb
Rafsaï
Had Hourt
Mechra Bel Ksiri
Benmansour
Allal Tazi
Mjâra
Fès el Bali
Ourtzarh
681
Dj. Amergou
Dj. Messaoud
835
Oued Sebou
Morhrane
Dar Gueddari
Khénichèt
Karia Ba Mohammed
Sidi Yahya du Rharb
Msâada
Mehdiya Plage
KÉNITRA
Sidi Slimane
Boumaïz
Dj. Tselfat
Oued Sebou
Pont du Sebou
Plage des Nations
FORÊT DE LA MAMORA
Sidi Kacem
Jouaber
SALÉ
Dar Bel Amri
406
Col du Zeggota
Âïn Johra
Volubilis
Moulay Yacoub
Dj. Zalagh
902
RABAT
Oued Taherest
Âïn ej Jemâa
Moulay Idriss
FÈS
Sidi Allal Bahraoui
1116
Nzala Saraji
TAZA
PAYS ZEMMOUR
Dj. Zerhoun
Douyèt
Barrage d'El Kansera
Sidi Harazem
Yahya Zaër
Oued Satour
MEKNÈS
Ras el Ma
Tiflèt
Oued Jaïda
PLAINE DU SAÏS
Âïn el Âouda
Âïn el Orma
Moulay Idriss Arhbal
Oued el Kell
El Haj Kaddour
Âïn Cheggag
Khemissèt
Bhalil
Sefrou
Had Brachoua
Mâaziz
Boufekrane
Âït Yazem
Col du Kaour
400
Sebt des Âït Ikkou
Oued Beth
El Hajeb
Immouzzèr du Kandar
PAYS ZAËR ZAÏANE
Oued Chebika
Tiddas
Agouraï
Rommani
Boukchmír
Source Karraba
1473
Ito
Ifrane
El Harcha
Azrou
OUED ZEM
Oulmès
KHENIFRA
MIDELT
MIDELT

Non loin, la **place des Nations-Unies** regroupe de nombreux édifices publics - palais de justice, préfecture et bureau de poste –, tous conçus dans le style grandiose qui sied à leur fonction et qui ne laisse aucun doute sur le caractère officiel du centre-ville.

Meknès

A la fin du XVIIe siècle, la cour de Louis XIV brillait d'un éclat sans précédent. A la même époque, le deuxième sultan de la dynastie alaouite choisit de faire de Meknès une capitale qui puisse rivaliser avec Paris, et d'élever un palais aussi somptueux que Versailles. Pour accomplir son impérial dessein, Moulay Ismaïl (qui régna de 1672 à 1727) travailla de ses propres mains, ne ménageant ni ses efforts... ni ceux des hommes des tribus locales, des serviteurs, esclaves ou prisonniers chrétiens qu'il avait pu trouver! Les ruines de cette étonnante entreprise sont encore tout à fait saisissantes.

Coexistence du caftan, *des jeans et du voile, symbole d'un Maroc parvenu à la croisée des chemins.*

Si Meknès avait été, dès le XIIe siècle, un centre d'une certaine importance, c'est Moulay Ismaïl qui le fit vraiment sortir de l'anonymat. Après sa mort, ses rêves s'évanouirent, et la ville perdit de son éclat jusqu'à ce que notre siècle lui redonne doublement vie, avec, d'un côté, la cité moderne, prospère et active, sur la rive est de l'oued Boufekrane, et, de l'autre, la vieille ville impériale préservée avec sa *médina*, sur la rive ouest.

La ville impériale

Même si vous arrivez par la ville nouvelle, c'est par la vieille cité de Moulay Ismaïl, et par sa *médina*, que vous commencerez votre visite. Traversez la vallée de l'oued Boufekrane et gravissez la colline jusqu'à la place el Hédim, au cœur des vieux quartiers.

Dominant la place au sud, la porte monumentale dite **Bâb Mansour** vous permettra de vous transporter en imagination dans le Meknès de Moulay

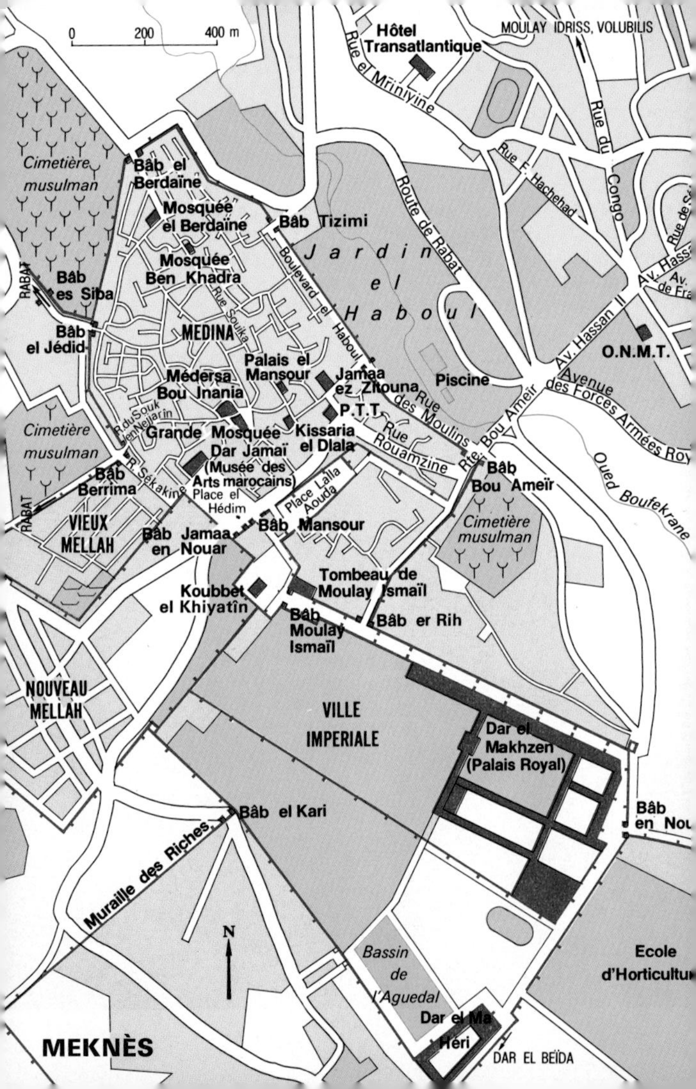
0
200
400 m
Hôtel Transatlantique
MOULAY IDRISS, VOLUBILIS
Rue el Mriniyine
Rue du Congo
Rue F. Hachehad
Cimetière musulman
Bâb el Berdaïne
Mosquée el Berdaïne
Bâb Tizimi
Route de Rabat
Jardin el Haboul
Mosquée Ben Khadra
Boulevard el Haboul
Rue Souika
RABAT
Bâb es Siba
Bâb el Jédid
MEDINA
Av. Hassan II
O.N.M.T.
Palais el Mansour
Jamaa ez Zitouna
Piscine
Médersa Bou Inania
P.T.T.
Rue des Moulins
Avenue des Forces Armées Roy
Rte. Bou Ameïr
R. du Souk ben Nejjarîn
Grande Mosquée
Kissaria el Dlala
Rue Rouamzine
Cimetière musulman
Dar Jamaï (Musée des Arts marocains)
Bâb Bou Ameïr
Oued Boufekrane
Bâb Berrima
R. Sékakine
Place el Hédim
Place Lalla Aouda
RABAT
VIEUX MELLAH
Bâb Mansour
Cimetière musulman
Bâb Jamaa en Nouar
Koubbet el Khiyatîn
Tombeau de Moulay Ismaïl
Bâb Moulay Ismaïl
Bâb er Rih
NOUVEAU MELLAH
VILLE IMPERIALE
Dar el Makhzen (Palais Royal)
Bâb el Kari
Bâb en Nou
Muraille des Riches
N
Bassin de l'Aguedal
Ecole d'Horticultu
Dar el Ma Héri
MEKNÈS
DAR EL BEÏDA

Ismaïl. Cette porte *(bâb)* se compose en fait de plusieurs passages qui dressent leurs colonnes de marbre, leurs arches en fer à cheval, et déploient la richesse de leurs décorations en relief, de leurs entrelacs et de leurs céramiques colorées. Elle témoigne de la magnificence du vieux Meknès et des fastes de sa cour impériale.

A droite, la **Bâb Jamaa en Nouar,** de même style mais de dimensions plus modestes, est aussi imposante.

La visite de l'ancienne ville impériale serait un peu longue et fatigante à faire à pied. Aussi, si vous n'avez pas de voiture ou si vous ne participez pas à un tour d'orientation, prenez un taxi: le chauffeur se fera un plaisir de vous montrer les principales curiosités.

Par la Bâb Mansour, on débouche sur la vaste **place Lalla Aouda,** où s'élevait le fabuleux palais de Moulay Ismaïl. Elle fut sans doute témoin de brillants défilés et de grandioses cérémonies (et peut-être de quelques décapitations). On y trouve aujourd'hui des administrations.

Par la Bâb el Filala, une seconde porte au-delà de la Bâb Mansour, on accède à une autre place où se tient le marché à la laine, et où, autrefois, devaient passer les ambassadeurs à la cour de Moulay Ismaïl. Vous pourrez voir, à votre droite, le **Koubbet el Khiyatîn,** un pavillon où le sultan les recevait en grande pompe. Au sous-sol, de vastes caves servaient peut-être à entreposer les riches présents destinés à gagner la faveur du souverain (une légende veut que ces excavations aient servi d'oubliettes, où croupissaient les prisonniers chrétiens).

De l'autre côté de la place, une porte mène au **tombeau de Moulay Ismaïl.** Le passage lui-même est magnifique, comme tout le site funéraire, restauré sous le règne de Mohammed V. L'écho de vos pas résonnera entre les murs revêtus de céramique jaune et se mêlera au murmure des fontaines, tandis que vous parcourrez une succession de cours intérieures jusqu'au seuil de la mosquée commémorative. Là, des nattes disposées par terre vous signalent qu'il faut enlever vos chaussures et poursuivre la visite en chaussettes. La tombe est, en effet, un lieu de prière et de pèlerinage. Si les non-musulmans ne sont pas admis dans le sanctuaire proprement dit, ils pourront toujours le voir d'une petite cour (protégée par une verrière), agrémentée de stucs délicats et, curieusement, de peintures aux couleurs vives.

Pour être récentes, les portes de bois n'en sont pas moins belles avec leurs motifs colorés, savamment entrelacés. Dans le sanctuaire, une sensation de calme, de force et, par-dessus tout, d'éternité émane des grandes arches en fer à cheval qui entourent le tombeau.

En ressortant, tournez à gauche et passez la **Bâb er Rih,** qui mérite bien son nom de «porte des Vents». Elle repose sur deux murs cyclopéens qui forment un corridor long de 800 m., paradis des courants d'air! De l'autre côté du mur de droite s'élève le palais royal qu'occupe le souverain actuel lors de ses séjours à Meknès. (Pas de visites.) En longeant le corridor, vous arrivez à une construction massive, le Dar (ou Bordj) el Ma (bastion de l'Eau). Un peu plus loin, les vastes **greniers** *(héri),* en partie ruinés, datent du XVIIe siècle. Montez sur la terrasse fleurie pour admirer la **vue** sur la ville et sur l'immense bassin de l'Agdal qui servait à l'irrigation des jardins de la ville impériale.

Le golf du palais occupe l'emplacement des jardins des Sultanes. Le site est ouvert au public, sauf quand des membres de la famille royale résident à Meknès.

Attenants aux *héris,* les fabuleux **haras** de Moulay Ismaïl, qui pouvaient abriter 12 000 étalons, ne subsistent qu'à l'état de vestiges.

Proche également des greniers, l'école d'horticulture s'enorgueillit à bon droit de ses **jardins** expérimentaux, où il fait bon se reposer.

A quelques minutes de là à pied, le **Dar el Beïda,** forteresse d'allure vaguement est-européenne, était le palais du sultan à la fin du XVIIIe siècle. L'édifice renferme aujourd'hui une école militaire.

La médina

La *médina* de Meknès offre assez de merveilles pour vous retenir toute une matinée ou un après-midi. Vous y accéderez par une porte située à l'ouest de la place el Hédim. Juste à côté de cette porte, le **Dar Jamaï** était (il y a un siècle) la résidence privée d'un premier ministre. Il abrite maintenant, pour le plus grand plaisir des touristes, le **musée des Arts marocains.** Que les chefs-d'œuvre de ferronnerie, de bois sculpté, de soie brodée ne vous empêchent pas d'admirer le bâtiment lui-même. Si vous considérez que cette architecture

Vous admirerez, en cette cour de la médersa Bou Inania, la grâce et la verdeur des arts populaires.

(avec son décor d'arabesques), où l'imagination la plus débridée s'est donné libre cours, n'était pas destinée au sultan mais seulement à l'un de ses ministres, vous imaginerez la splendeur du palais qu'occupe le roi* quand il est à Meknès.

La *médina* de Meknès est l'une des mieux tenues du Maroc. A côté de nombreuses échoppes de type traditionnel,

Pour un musulman, la journée est rythmée par cinq prières. Chacune d'elles est précédée par des ablutions à la fontaine de la mosquée.

on trouve d'autres boutiques, tout à fait modernes.

Quand vous explorerez le labyrinthe tissé par la vieille ville, arpentant ses pavés lisses et ronds, vous serez assailli par des milliers d'images, de sons et d'odeurs. Le parfum suave de l'encens se mêle à celui des oranges, des citrons, au fumet de la viande grillée, à la senteur du bois vert que travaillent menuisiers et tourneurs. Vous passerez près de fontaines décorées de faïences de couleur et de cèdre sculpté. Des enfants transportent de l'eau dans des bidons, des vieillards à barbe blanche renfilent leurs chaussures en sortant de la mosquée après la prière de midi. La mosquée elle-même est isolée du monde extérieur par un écran en cèdre sculpté.

A l'étal d'une minuscule échoppe, des vêtements aux broderies scintillantes attendent le client. Plus loin, des hommes et de jeunes garçons bavardent en cousant *djellabas* et *caftans.* Une autre boutique croule sous les bobines de soie multicolore. Il y en a partout, sur les murs, au plafond, à même le sol, pour satisfaire tisserands et tailleurs.

Derrière d'extraordinaires portes peintes d'un bleu vif, la **Kissaria el Dlala** est un souk spécialisé dans les couvertures et les *djellabas.* La vente à la criée attire la foule des acheteurs et des curieux (tous les jours sauf le vendredi).

La **rue du Souk en Nejjarîn,** autrefois occupée par les ateliers de menuiserie qui lui ont donné son nom, compte aujourd'hui des commerces de toutes sortes. Vous y verrez en-

L'année dernière à... Oulmès
Bien qu'il soit parfaitement possible de profiter à distance des bienfaits de l'eau minérale... grâce aux bouteilles, rien ne vaut une cure à la source même. C'est ainsi qu'à Sidi Harazem, entre Fès et Taza, un hôtel et des bungalows (à louer) accueillent les personnes souffrant qui des reins, qui de la vessie. Quant à l'Hôtel des Thermes, à Oulmès (au sud de Meknès), il s'est spécialisé dans les cures destinées à combattre les maladies de l'appareil digestif, ainsi que l'arthrite et les affections circulatoires. Enfin, les eaux de Moulay Yacoub, non loin de Fès, sont réputées pour être bénéfiques dans le traitement de diverses affections: maladies chroniques des voies respiratoires et de l'oreille, et rhumatismes. Alors, une cure au Maroc, pourquoi pas?

* Rompant avec la tradition, le souverain marocain préfère, depuis quelques années, le titre de roi à celui de sultan.

core, cependant, des artisans travailler le bois avec des outils traditionnels, sur des établis patinés par le temps.

Si vous avez envie d'une collation, goûtez aux pois chiches fraîchement grillés que des enfants vendent dans des cornets de papier, et achetez un rafraîchissement en bouteille. Les gens du pays et les touristes dont l'estomac est à toute épreuve achètent, pour moins cher, leur boisson au porteur d'eau. Ce personnage, vêtu du costume typique de la région du Rif, transporte avec lui des gobelets de cuivre étincelant, mais son outre en peau de bouc, toute poilue, ne plaide pas en faveur de la pureté de l'eau!

Au cours de votre flânerie dans la *médina*, demandez à un enfant de vous indiquer l'entrée de la **médersa Bou Inania.** Là, un gardien vous fera faire un tour (très documenté) de ce collège religieux, édifié par Abou el Hassan au XIVe.

Avec son décor tout intriqué, la cour intérieure constitue, dans ses moindres détails, un véritable bijou. Elle a bien supporté l'épreuve du temps, mais des travaux de restauration sont en cours. Le murmure d'une fontaine de marbre apporte une note musicale au calme ambiant. Sous les arcades, vous verrez les cellules où logeaient les étudiants, et l'ancienne buanderie. On peut monter sur la terrasse de la *médersa.* On a, de là-haut, une vue d'ensemble sur les principaux monuments, avec un gros plan sur la **Grande Mosquée** voisine, son minaret revêtu de faïences vertes, ses toits et ses coupoles de carreaux rouges. C'est la plus vaste, la plus vénérée, et l'une des plus anciennes, des mosquées d'une ville qui en compte des dizaines.

Le Meknès moderne

Entre la vieille ville et le Meknès moderne, les **jardins d'El Haboul,** dans la vallée de l'oued Boufekrane, méritent un arrêt. L'agencement le plus traditionnel y côtoie le modernisme le plus résolu. Un parc a été dessiné dans ce noble style mauresque de jadis, tandis qu'une piscine publique a été aménagée à côté.

La ville moderne comporte tout ce qu'un touriste peut en attendre, y compris des cinémas et des parcs d'attractions. De l'Hôtel Transatlantique, situé au flanc de la colline qui surplombe l'oued Boufekrane, le **panorama** sur Meknès est particulièrement beau avec, de l'autre côté de la rivière, la vieille ville blottie sur les hauteurs.

Excursions à partir de Meknès

Moulay Idriss

A 26 km. au nord de Meknès, l'endroit où est enterré le saint patron du Maroc (voir pp. 13–14) est une ville agréable et intéressante, perchée sur un éperon qui domine le plateau de Volubilis.

Aujourd'hui, Moulay Idriss «dévale» les pentes abruptes du Zerhoun, au milieu d'oliveraies, de bouquets de résineux et d'aloès. Une courte promenade à travers la ville, véritable microcosme du Maroc traditionnel, vous révélera les divers aspects de la vie quotidienne dans le pays: vous remarquerez ici un forgeron battant le fer, là un vendeur de *kefta* (brochettes de viande émincée) patiem-

Scène familière à Moulay Idriss: quelques travaux de vannerie pour occuper les rares moments perdus.

ment assis devant son brasero, ailleurs encore quelque cuisinier surveillant ses ragoûts.

Autrefois, Moulay Idriss était interdit aux non-musulmans. La règle s'est relâchée, et la présence de touristes dans les rues est de nos jours chose commune.

Des enfants s'offriront à vous servir de guide. Moyennant quelques pièces, l'un d'eux vous conduira par des chemins sinueux jusqu'à un cul-de-sac, au bord d'une falaise d'où vous découvrirez un **panorama** saisissant sur la ville, le **mausolée** de Moulay Idriss, au toit de tuile verte, et les montagnes des alentours. En redescendant, vous passerez devant l'extraordinaire minaret cylindrique (moderne), qui flanque ce mausolée. Sur un poteau de bois, une inscription vous rappelle une fois de plus que l'accès n'est pas permis aux non-musulmans. Il ne vous restera plus qu'à vous consoler en admirant (ou en achetant) ces merveilleuses bougies en cire d'abeille que des échoppes vous proposent, près de l'entrée du mausolée.

Moulay Idriss cultive, on ne peut plus pieusement, le souvenir du saint patron d'un Maroc éternel...

La baraka

Ce pouvoir spirituel qu'est la *baraka* a amené plus d'un sultan sur le trône et ouvert à plus d'un saint homme, si humble fût-il, les Portes du Ciel. Cette grâce, quelquefois charismatique, qui emplit de respectueuse admiration ceux qui n'ont pas été «élus», est à la fois bénédiction, influence bénéfique et gage de sainteté. Tous les saints du Maroc, les *marabouts,* ont possédé la *baraka,* et les pèlerins qui se rendent sur leurs tombes espèrent voir rejaillir sur eux la bénédiction de leur sainteté. Sans être considéré comme un saint, le roi du Maroc détient la *baraka* en tant que souverain traditionnel. Il est, de plus, *chérif,* c'est-à-dire descendant du Prophète, une distinction que des milliers de Marocains partagent, mais qui, chez un souverain, prend un relief particulier...

Volubilis

De Moulay Idriss, un taxi vous conduira en quelques minutes jusqu'à l'antique capitale romaine de la région: Volubilis (à 3 km.). L'ampleur et la beauté des ruines en font un site unique au Maroc.

A l'époque du Christ, Volubilis était une cité florissante, l'une des plus importantes de la Mauritanie Tingitane (l'une des deux provinces romaines d'Afrique du Nord). De splendides vestiges évoquent encore les fastes de ses «belles années». Moyennant un modique droit d'entrée, vous descendrez quelques marches pour atteindre le «chemin des visiteurs», agrémenté de statues et d'inscriptions. Des flèches rouges vous guideront au fil du trajet tortueux qui mène aux temples, aux thermes et à l'arc de triomphe. Parmi les ruines les plus remarquables, vous découvrirez tout d'abord le Forum, le Capitole, la Basilique, puis les maisons et palais qui bordent la voie principale de Volubilis, le Decumanus Maximus. Passionné d'archéologie ou non, vous discernerez aisément toute l'importance des ruines de Volubilis et vous prendrez plaisir à découvrir les précieuses **mosaïques** qui ornent encore le sol de nombreux bâtiments. L'une des plus attrayantes se trouve dans la maison au Cavalier: ce cavalier, un fier et bel athlète, contemple amoureusement une jeune beauté que le temps, seul, devait ravir, car elle a perdu une partie de sa tête et de son buste au fil des ans... (Le site de Volubilis est ouvert aux visiteurs tous les jours du lever au coucher du soleil. Il y a un café avec une charmante terrasse.)

Dans le Moyen Atlas

Au milieu des forêts de cèdres du Moyen Atlas, plusieurs localités méritent une visite. **Azrou** (alt. 1200 m.), à 67 km. de Meknès, offre un cadre idéal pour échapper aux foules urbaines. Bâtie au flanc d'une montagne boisée, cette paisible retraite possède une coopérative de tapissiers. Vous verrez notamment des Berbères – les Béni M'Guild – installer leurs métiers à tisser sur la place même du marché, et vous pourrez assister à la fabrication de leurs tapis renommés (ou bien en acheter un déjà achevé). Il est possible de faire du ski, en saison, au djébel Hébri ou au Michliffen, tout près d'Azrou.

Ifrane (alt. 1650 m.), à 71 km. de Meknès, est à la fois une villégiature estivale et une station de sports d'hiver. Les hôtels sont nombreux, confortables, et les citadins viennent en grand nombre profiter de la fraîcheur de la montagne en été ou goûter les joies du ski en hiver. Aussi est-il toujours prudent de réserver sa chambre pour le week-end!

Dans les ruines de Volubilis, ces témoins d'un empire jamais oublié: ici, une mosaïque, là des arches.

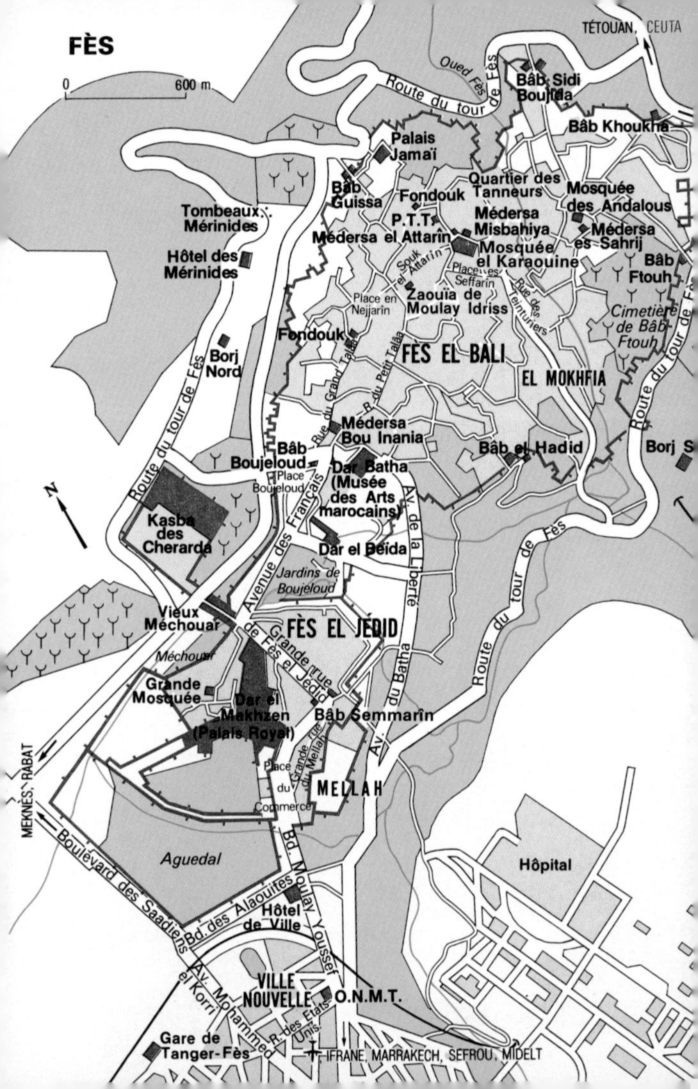
FÈS
0
600 m.
TÉTOUAN, CEUTA
Oued Fès
Route du tour de Fès
Bâb Sidi Boujida
Bâb Khoukha
Palais Jamaï
Bâb Guissa
Quartier des Tanneurs
Mosquée des Andalous
Fondouk
P.T.T.
Médersa Misbahiya
Médersa es Sahrij
Tombeaux Mérinides
Hôtel des Mérinides
Médersa el Attarîn
Mosquée el Karaouine
Bâb Ftouh
Souk el Attarîn
Place es Seffarîn
Zaouïa de Moulay Idriss
Rue des Teinturiers
Place en Nejjarîn
Cimetière de Bâb Ftouh
Fondouk
FÈS EL BALI
Borj Nord
EL MOKHFIA
Rue du Grand Talâa
R. du Petit Talâa
Médersa Bou Inania
Bâb el Hadid
Borj S
Bâb Boujeloud
Place Boujeloud
Dar Batha (Musée des Arts marocains)
N
Kasba des Cherarda
Avenue des Français
Av. de la Liberté
Dar el Beïda
Jardins de Boujeloud
Vieux Méchouar
FÈS EL JEDID
Grande rue de Fès el Jedid
Méchouar
Grande Mosquée
Dar el Makhzen (Palais Royal)
Bâb Semmarîn
Av. du Batha
Grande rue du Mellah
Place du Commerce
MELLAH
MEKNÈS, RABAT
Boulevard des Saadiens
Aguedal
Bd. Moulay Youssef
Bd. des Alaouites
Hôtel de Ville
Hôpital
VILLE NOUVELLE
O.N.M.T.
Av. Mohammed el Korri
R. des Etats Unis
Gare de Tanger-Fès
IFRANE, MARRAKECH, SEFROU, MIDELT

Fès

Fès, la plus ancienne et la plus prestigieuse des cités impériales, se compose en fait de trois villes. La première, Fès el Bali, fondée par les Idrissides au VIIIe siècle, occupe le fond de la vallée de l'oued Fès. Cinq siècles après sa fondation, les Mérinides la parèrent de joyaux d'architecture hispano-mauresque et élevèrent une nouvelle ville à ses côtés, Fès el Jédid. Au XXe siècle, sous le Protectorat, la Ville Nouvelle est née et s'est développée sur les hauteurs qui encadrent la vallée. La visite de Fès constitue donc une «aventure» historique qui, du Maroc contemporain, vous ramènera au début du IXe siècle.

La ville moderne

Vous passerez sans doute vos journées à Fès el Jédid et à Fès el Bali, mais c'est la Ville Nouvelle qui sera le cadre de vos «activités» nocturnes (c'est aussi là que vous dormirez). Si l'avenue Hassan II en est l'artère principale, les cinémas, les cafés et les magasins les plus intéressants se trouvent sur l'**avenue Mohammed V.** Toujours animée, cette artère est en proie à une animation fébrile en fin d'après-midi. La tradition veut, en effet, que vers six ou sept heures du soir, la population – les jeunes en particulier – s'y presse pour le plaisir de se promener, de boire un thé à la menthe tout en bavardant. Après une heure ou deux de ce va-et-vient, il fait bon s'installer dans un petit restaurant pour terminer agréablement la soirée.

Fès el Jédid

La ville mérinide possède sa propre enceinte. A l'intérieur, splendeur et vie quotidienne coexistent harmonieusement. Le Palais royal *(Dar el Makhzen)* est presque une ville en soi. Le souverain marocain y loge lors de ses séjours à Fès. Vous ne pourrez malheureusement pas visiter ce superbe édifice dont le **portail**, richement décoré, domine l'un des côtés de la place du Commerce; à l'est partent les rues populeuses du *mellah,* l'ancien quartier juif. En suivant la Grand-Rue, bordée de boutiques et de marchés, vous arriverez devant la **Bab Smarîn** (ou Bab Semmarîn), une haute porte qu'elle traverse pour se prolonger jusqu'au Vieux Méchouar, où se déroulaient jadis les parades royales.

A l'opposé de la muraille orientale de Fès el Jédid s'étendent les **jardins de Boujeloud.** Une atmosphère quasi tropicale baigne les plantations de bambous, peuplées d'oiseaux. Un ingénieux système hydraulique, datant du XIIIe siècle, permet d'irriguer les fleurs et les plantes aromatiques de ces jardins, tout en approvisionnant la ville en eau.

Fès el Bali

Ne vous lancez pas dans l'exploration de ce secteur sans vous assurer les services d'un guide: vous risqueriez de vous égarer ou de manquer quelque curiosité! (Le Syndicat d'initiative, l'office du tourisme et les grands hôtels vous procureront un guide qualifié, travaillant selon un tarif imposé.)

La **Bâb Boujeloud** – sur la place du même nom – donne accès à la *médina.* Cette porte monumentale dresse sa haute silhouette et ses parois d'émail bleu ornées d'étoiles, de fleurs et d'arabesques au milieu du carrousel des autobus, alors que résonnent tout autour les appels des marchands des quatre saisons et les coups de marteau des ferblantiers.

De l'autre côté de la porte, deux ruelles vous mèneront au cœur de la **médina:** la rue du Petit Talâa *(Talâa Seghira)* s'ouvre droit devant vous, et celle du Grand Talâa *(Talâa Kebira)*, légèrement à gauche. Empruntez cette deuxième

voie, et en quelques minutes à pied, vous verrez à votre droite la **médersa Bou Inania.**

Bâtie dans les années 1350, cette *médersa* est l'un des triomphes de l'architecture hispano-mauresque. Dès que vous pénétrerez dans la cour, laissant derrière vous l'agitation de la ville, vous ressentirez une profonde impression d'envoûtement. La patine des plâtres sculptés s'harmonise avec les boiseries de cèdre décolorées par le temps. Devant vous,

La Bou Inania, la plus belle des médersas *de Fès, constituait un cadre rêvé pour l'étude du Coran.*

de l'autre côté de la cour pavée de marbre, coule un petit ruisseau canalisé, émissaire de l'oued Fès. Les architectes arabes étaient célèbres pour leurs portes, et nous trouvons ici de beaux exemples de leur art: arches et linteaux s'élèvent en de saisissantes progressions. Au-dessus des fenêtres, vous remarquerez aussi la décoration à stalactites *(muqarnas).*

Autour de cette cour, les étages abritent les cellules exiguës où logeaient jadis les étudiants en théologie. (La *médersa* étant en cours de restauration, il est possible que le public ne soit pas admis à gagner les étages et les toits, du moins tant que le gros œuvre n'est pas achevé.)

En quittant la Bou Inania, vous remarquerez sur votre gauche l'**«horloge»**, ou «carillon de Bou Inania», curieux mécanisme composé de disques de métal (13, à l'origine) et orné de bois finement travaillé. Le mystère plane toujours, à vrai dire, sur ce carillon supposé, sur sa véritable fonction, sur la manière dont on en jouait et sur le facteur qui le conçut.

Vous retrouverez ensuite les rues de Fès el Bali, où vous serez sollicité par mille scènes pittoresques. Ici, un homme coud des chemises; là, un tourneur actionne sa machine d'une main, la maintient avec le pied, et tient un ciseau dans l'autre main; ailleurs, un jeune marchand propose de la limonade et des pâtisseries, car même les enfants ont leurs petits métiers dans la *médina.*

Dans le quartier des Teinturiers, sans un âne, point de livraisons!

Ne manquez pas de jeter un coup d'œil dans les ruelles qui abritent les *souks* et les *fon-*

douks. C'est dans ces marchés et ces entrepôts que bat le cœur de la vieille ville. Au milieu d'une cour, d'énormes sacs d'olives seront répartis entre les détaillants; dans telle autre, des pots en terre cuite de couleur vive, l'orifice tendu de peau de mouton, attendent l'acheteur en quête d'un tambour marocain traditionnel.

Le Talâa Kebira traverse le **Souk el Attarîn** (le marché des parfumeurs et des marchands d'épices). Les produits pharmaceutiques y voisinent avec les bâtonnets d'encens, le henné, les écorces parfumées, les racines et des potions qui relèvent plus de la magie noire que de la médecine!

Certaines boutiques de souvenirs, çà et là dans le *souk*, occupent d'anciennes demeures, ce qui permet à la fois d'acheter des objets artisanaux et de visiter une maison typiquement marocaine.

Dans le même *souk*, au bout d'une ruelle, un minaret recouvert de plâtre blanc et de faïence verte (le vert est la couleur du Prophète) surmonte une porte ouvragée. Vous vous trouvez devant le **sanctuaire de Moulay Idriss II,** bâtisseur de Fès et fils du premier souverain musulman du Maroc. Naturellement, vous ne pourrez pénétrer dans cette *zaouïa* si vous n'êtes pas musulman, mais avec un peu de chance, par l'une des portes magnifiquement décorées, vous apercevrez le sanctuaire et ses lustres étincelants. Ce saint lieu a été reconstruit au XVe siècle et restauré depuis. Un emplacement est réservé aux *Fassi* (habitants de Fès) et spécialement aux femmes qui viennent elles aussi prier dans l'espoir, peut-être, de s'attirer un peu de la *baraka* du saint patron.

Au bout du Souk el Attarîn, vous entrerez dans la partie la plus ancienne de la ville, celle dont les fondations remontent à plus de mille ans. Autour de la mosquée Karaouine, une fantastique concentration de splendides bâtiments vous attend.

La **médersa el Attarîn** (1325) date de la même époque que la Bou Inania. De proportions plus réduites, elle est tout aussi belle. Aucune cloison de cèdre sculpté ne sépare ici les cellules d'étudiants de la cour, au centre de laquelle l'eau jaillit d'une vasque de marbre.

Tout près de là, après avoir tourné deux fois sur votre gauche, vous atteindrez la **médersa Misbahiya** (1346). Une fontaine de marbre particulièrement jolie orne le centre de la cour.

Mais le plus pur joyau de

Fès el Bali est incontestablement la **mosquée Karaouine.** Edifiée à la fin du IXe siècle sur les ordres d'une femme originaire de Kairouan (Tunisie), la mosquée a été agrandie et embellie au cours des siècles. Aujourd'hui, cet édifice (le plus impressionnant de Fès), dont chaque détail atteste la richesse décorative, peut abriter des milliers de fidèles. Les non-musulmans n'y pénètrent pas mais, grâce aux quatorze larges portes, ils peuvent admirer la décoration des entrées et avoir un aperçu de l'intérieur. Le seul problème est de résister à la poussée de la foule: il est difficile de stationner aussi longtemps qu'on le voudrait devant cet édifice, appelé parfois «université» Karaouine. En effet, Fès a été, dès l'origine, un centre d'études islamiques, et la Karaouine attire de partout des professeurs et des étudiants en droit canon et en théologie.

Après avoir contourné la célèbre mosquée en venant de la médersa el Attarîn, vous gagnerez la **place es Seffarîn** (place des fabricants de dinanderie), toute bruissante de coups de marteau et du chuintement du métal porté à blanc quand on le plonge dans l'eau froide. C'est d'ici que partiront vers les boutiques de souvenirs, une fois bien astiqués, bouilloires, lampes, plateaux, aiguières, voire petits alambics.

Depuis le petit pont qui, près de la place, enjambe l'oued Fès, regardez, vers l'amont, la rue des Teinturiers. De chaque échoppe s'écoulent des ruisselets colorés. Dans l'industrie moderne, les machines se chargent de presque tous les travaux salissants et rebutants. Ici, le travail se fait traditionnellement à la main. Les ouvriers, qui y voient la volonté de Dieu, ne semblent pas trop en souffrir.

Si vous désirez étudier un autre exemple de méthodes de travail archaïques, continuez votre chemin jusqu'au **quartier des Tanneurs.** Là, des hommes à moitié nus plongent les peaux dans des cuves ménagées dans le sol ou les empilent sur le dos des ânes qui transporteront leur fardeau jusqu'aux aires de séchage ou de teinture. En raison de la puanteur, ce quartier est plutôt déprimant, mais c'est une tranche de vie des temps moyenâgeux.

Aux confins de Fès el Bali, à l'est, près du grouillant quartier

Il faut toute une vie aux hafidhs *pour apprendre le Coran par cœur; A tâche de titan, vie de reclus...*

des potiers, s'élève la **mosquée des Andalous.** Si vous arrivez par l'une des portes à l'est de l'enceinte de la ville – par la Bâb Ftouh ou la Bâb Khoukha –, elle vous apparaîtra soudain au détour d'une ruelle. Mais si l'on sait se repérer dans l'invraisemblable labyrinthe de Fès el Bali, on découvrira la mosquée sous son angle le plus impressionnant, face à l'imposant portail auquel aboutit un haut escalier de pierre. Bien qu'on retrouve dans le portail les matériaux décoratifs habituels (plâtres, bois sculpté, céramique), cette mosquée frappe par son originalité, due en partie à une hardiesse de lignes inusitée. Construite par un sultan almohade au début du XIIIe siècle, l'entrée est tout ce qu'il vous sera permis d'admirer si vous n'êtes pas un disciple du Prophète.

Et puisque vous en serez à explorer cette partie de Fès el Bali, vous prendrez la rue à droite de la grande porte de la mosquée pour aller visiter les **médersas Es Sahrij** et **Es Sebbayîn,** intéressantes l'une et l'autre.

En revenant vers la place Boujeloud, contournez cette fois le sanctuaire de Moulay Idriss II pour vous arrêter devant l'entrée réservée aux femmes. La **façade** de cet édifice – elle vaut, à elle seule, le détour – vous éblouira par ses dorures et ses peintures polychromes. Sous une fenêtre garnie de fer forgé, se trouve une plaque de cuivre, naguère percée d'un trou; les femmes passaient le bras par cet orifice, afin d'effleurer, par-delà le mur, la tombe du saint fondateur de la ville, espérant ainsi capter un peu de sa *baraka.*

Deux visages du Maroc de demain; en attendant que le petit oiseau sorte, prenons donc vite la pose!

Toute proche, la place en Nejjarîn (place des Menuisiers) est, comme son nom l'indique, un centre de fabrication de meubles. La **fontaine** qui l'orne, bien qu'usée par le temps, constitue un exemple exquis de l'exubérance de l'art décoratif mauresque.

Le musée des Arts marocains occupe près de la Bâb Boujeloud une belle résidence, le **Dar Batha.** Faute de pouvoir visiter le Palais royal de Fès, vous aurez la possibilité, en explorant ce musée, non seulement de vous familiariser avec les arts et traditions de la ville, mais d'imaginer comment les grands personnages vivaient, il y a un siècle, à l'époque de la construction du palais. Le vaste jardin intérieur, entouré d'ar-

cades et de galeries, est planté d'arbres immenses, cactus hauts de dix mètres, palmiers, cyprès et jacarandas. Les salons d'apparat sont devenus des salles d'expositions, richement fournies aussi bien de tapis et de costumes locaux que d'astrolabes du Moyen Age. Le gardien vous accompagnera dans votre visite.

Presque voisin du Dar Batha, et son contemporain, un autre édifice possède la même grâce: le **Dar el Beïda**. Il n'est pas ouvert au public, mais par la porte habituellement entrouverte, vous pourrez vous faire une idée de la disposition des pièces et des jardins.

Le tour de Fès

La meilleure façon d'avoir une vue d'ensemble sur la ville et ses vieux quartiers est d'accomplir en voiture un circuit de seize kilomètres: la **route du tour de Fès** (voir la carte, p. 46). Longeant d'abord, au nord, l'enceinte de la **Kasba des Cherarda** (environnée de cimetières), la route s'élève rapidement jusqu'au **Bordj Nord.** Cette forteresse du XVIe siècle abrite aujourd'hui une exceptionnelle collection d'armes, qui va d'un canon géant de douze tonnes à un minuscule pistolet à neuf coups. On arrive ensuite à un **point de vue** admirable et à l'Hôtel des Mérini-

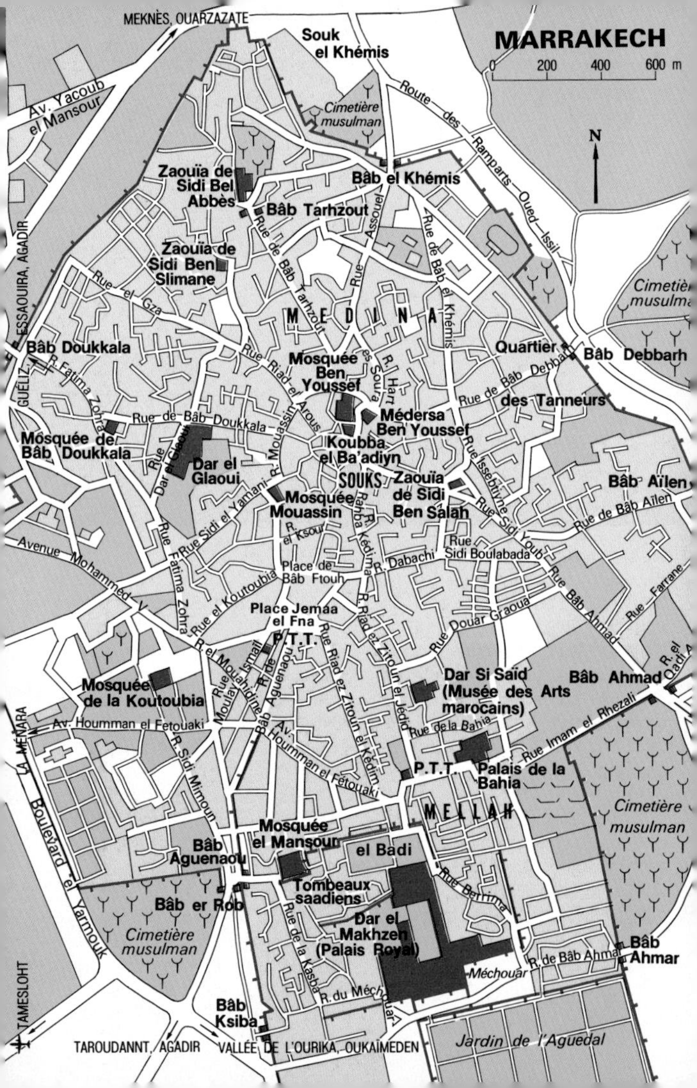

MARRAKECH
0 200 400 600 m
N
MEKNÈS, OUARZAZATE
Souk el Khémis
Av. Yacoub el Mansour
Cimetière musulman
Route des Remparts Oued Issil
Zaouïa de Sidi Bel Abbès
Bâb el Khémis
Bâb Tarhzout
Rue de Bâb Tarhzout
Rue Assouel
Rue de Bâb el Khémis
Zaouïa de Sidi Ben Slimane
ESSAOUIRA, AGADIR
Rue el Gza
MEDINA
Bâb Doukkala
GUELIZ
R. Fatima Zohra
Rue Riad el Arous
Mosquée Ben Youssef
Soura
R. Hart
Quartier des Tanneurs
Bâb Debbarh
Rue de Bâb Debbarh
Rue de Bâb Doukkala
Médersa Ben Youssef
Mosquée de Bâb Doukkala
R. Mouassin
Koubba el Ba'adiyn
Rue Dar el Glaoui
Dar el Glaoui
SOUKS
Zaouïa de Sidi Ben Salah
Rue Issebtiyne Sidi Youb
Bâb Aïlen
Rue de Bâb Aïlen
Rue Sidi el Yamani
Mosquée Mouassin
Rahba Kédima
R. el Ksour
Rue Sidi Boulabada
Avenue Mohammed V
Rue Fatima Zohra
R. Dabachi
Place de Bâb Ftouh
Rue el Koutoubia
Rue Bâb Ahmad
Rue Farrane
Place Jemaa el Fna
P.T.T.
R. Riad ez Zitoun el Jedid
Rue Douar Graoua
R. el Mouahidine
Rue Moulay Ismaïl
R. de Bâb Aguenaou
Rue Riad ez Zitoun el Kédim
Dar Si Saïd (Musée des Arts marocains)
Bâb Ahmad
R. el Qadi Ayad
Mosquée de la Koutoubia
Av. Houmman el Fetouaki
Rue Imam el Rhezali
LA MÉNARA
R. Sidi Mimoun
Rue de la Bahia
P.T.T.
Palais de la Bahia
Boulevard el Yarmouk
MELLAH
Cimetière musulman
Mosquée el Mansour
Bâb Aguenaou
el Badi
Rue Berrima
Tombeaux saadiens
Bâb er Rob
Cimetière musulman
Rue de la Kasba
Dar el Makhzen (Palais Royal)
Bâb Ahmar
R. de Bâb Ahmar
Méchouar
R. du Méchouar
TAMESLOHT
Bâb Ksiba
Jardin de l'Aguedal
TAROUDANNT, AGADIR
VALLÉE DE L'OURIKA, OUKAÏMEDEN

des. La ville dévoile d'ici son plan complexe – qu'il est certes difficile d'imaginer quand on circule en plein cœur de la *médina.* Une éminence, à l'est de l'hôtel, porte les tombes en ruine de plusieurs sultans mérinides.

La route descend ensuite dans la vallée par des oliveraies et longe le Bordj Sud, une forteresse aujourd'hui abandonnée, jusqu'aux portes Bâb Khoukha et Bâb Ftouh avant de vous ramener au centre de la ville.

Marrakech

Plus on va vers le sud et plus les paysages sont marqués par la sécheresse. Aux abords de Marrakech, les collines brûlées par le soleil font place à une plaine dominée par ce qui semble être d'abord un mirage: les sommets enneigés du Haut Atlas, qui émergent des nuées. Toile de fond tendue derrière cette place forte méridionale, les montagnes sont toujours présentes, claires par beau temps ou nimbées d'une brume irréelle. L'agglomération elle-même, verdoyante et bien arrosée, offre un contraste frappant avec les âpres montagnes et la plaine aride qui l'entourent.

Ville de première importance sous les Almoravides et les Almohades (c'est-à-dire depuis presque un millénaire), Marrakech l'est restée jusqu'aux années troublées de notre siècle. En effet, la seule résistance sérieuse à l'autorité du sultan Mohammed V vint de Thami el Glaoui, le téméraire, l'ambitieux pacha de Marrakech. Le Glaoui, comme avant lui tant d'autres dirigeants de Marrakech, voulait gouverner tout le Maroc. Cependant, il finit par faire humblement soumission au sultan alaouite.

Marrakech est aujourd'hui le grand centre commerçant du Sud: une ville moderne, coupée de larges artères. Sur l'**avenue Mohammed V,** où la circulation est dense, les gaz d'échappement ne détruisent pas l'odeur entêtante des orangers en fleur. On y voit aussi des fiacres. Assis aux terrasses des cafés, les *Marrakchi* regardent les touristes avec une aimable curiosité, surtout si l'un d'eux cueille une orange! Car les oranges sont amères et n'ont qu'un rôle décoratif. Aussi le touriste ne renouvellera-t-il pas son expérience...

Près de l'extrémité est de l'avenue Mohammed V se dresse le **minaret de la Koutoubia.** Véritable symbole de la ville, cette imposante tour mauresque constitue le plus beau monument du XIIe siècle almohade. Chacune de ses faces reflète une inspiration différente, comme si plusieurs architectes – chacun faisant valoir ses conceptions – avaient essayé de représenter les Portes célestes. Quelques vestiges du décor de céramique bleue témoignent de l'ancienne splendeur du minaret.

C'est quand on l'approche par le sud qu'il se révèle particulièrement impressionnant, s'offrant alors peut-être sous son meilleur angle aux émules de Niepce. Il surgit au bout d'une longue allée, bordée, à droite, par un haut mur ocré, et, à gauche, par une orangeraie embaumée. Seules de rares bicyclettes y circulent, et de jeunes garçons ont trouvé là un coin tranquille pour confectionner ces tresses qui orneront *burnous, caftans* et *djellabas,* ou pour dévider leurs quenouilles aux fils noirs, bleus et or.

Laissant les quartiers modernes derrière vous, vous vous dirigerez vers la place Jemaa el Fna. Après les immeubles d'allure méditerranéenne, le style d'architecture change subtilement, faisant place à des portes peintes en bleu, à des balustrades aux arabesques de fer forgé, à des fenêtres aux volets clos. La vie de la rue est plus intense et plus variée: ici, un homme graisse soigneusement les moyeux de sa calèche; là, deux amis se sont accroupis à l'ombre pour jouer aux dames avec des capsules de bouteilles sur un damier improvisé. Tout en déambulant, vous découvrirez, derrière une porte sur votre droite, un marché aux légumes ombragé par un treillis de joncs entrelacés. Du haut d'une porte ménagée dans l'enceinte médiévale, des cigognes, confortablement installées dans leurs nids, observent la scène...

«Assemblée des trépassés» est une appellation qui convient mal à la place la plus vivante de Marrakech, et pourtant telle est bien la signification de «Jemaa el Fna», souvenir, dit-on, du temps où un sultan particulièrement cruel faisait exposer sur cette esplanade les têtes de ceux qui avaient eu le malheur de lui déplaire.

Jemaa el Fna est vraiment le cœur du Marrakech traditionnel. N'allez surtout pas croire, à voir les files de taxis et la multitude d'échoppes à souvenirs, que cette place ne vive que

Même au milieu des éventaires de la Jemaa el Fna, le vendeur d'eau ne risque pas de passer inaperçu.

pour les touristes. Il y en a bien sûr, marocains ou étrangers, qui viennent goûter en même temps que les habitants de Marrakech les distractions en plein air de cette place étonnante. En y passant ne serait-ce qu'une après-midi et une soirée, vous aurez le temps d'acheter un vêtement, de prendre un repas, d'écouter un prédicateur musulman (parfois même muni de son propre haut-parleur), de voir un avaleur de feu, de verre ou d'eau bouillante, d'étudier la «technique» d'un charmeur de serpents, de vous faire dire la bonne aventure ou d'essayer votre adresse à un stand de tir. Sauf peut-être pendant les mois d'hiver, il se trouvera toujours une troupe de danseurs noirs (des *Gnaouas*) aux costumes bariolés pour passer à l'action dès qu'un spectateur d'apparence prospère se présente! Si vous êtes un bon joueur de bowling, essayez de renverser des paquets de cigarettes disposés au bout d'une ligne tracée à la craie sur le sol. L'enjeu étant, naturellement... un paquet de cigarettes.

L'atmosphère de kermesse va s'amplifiant à mesure que le soir tombe, et le nombre d'hommes-orchestres, de conteurs des rues et de mystiques ambulants se multiplie sur

cette place immense, de forme irrégulière.

Pour satisfaire l'appétit aussi bien d'un acrobate que d'un touriste, Jemaa el Fna ne manque pas de petits «restaurants» en plein air où, assis sur des bancs devant des tables rudimentaires, on peut goûter à un assortiment de plats qu'un «chef» tient au chaud sur ses braseros. Tout se passe à la bonne franquette, et les prix conviennent aux bourses les plus modestes.

Marrakech, abreuvé aux neiges de l'Atlas, vibre au vent du djébel.

Ou bien, pour échapper un moment à la bousculade, vous choisirez de vous asseoir à la terrasse de l'un des nombreux cafés qui bordent la place. Des enfants s'approcheront de votre table, espérant que la formule magique («un dirham!») fera tomber une pièce dans leur main. D'autres, en revanche, vous proposeront une pièce: un franc, un mark ou un shilling offert par quelque généreux touriste. Ils s'attendent à ce que vous leur donniez l'équivalent en monnaie marocaine. Mais attention, en matière de change, ces gosses n'ont rien à envier aux banquiers les plus rusés!

Vous voulez vraiment être à l'écart du va-et-vient de la foule, mais profiter tout de même du spectacle? Sachez alors que certains cafés ont une terrasse sur le toit.

La médina

De la place Jemaa el Fna, de nombreux passages et portes donnent sur la *médina.* Allez-y plutôt le matin ou en début d'après-midi, car à mesure que le soleil décline, on dirait que la ville entière se déverse dans les rues étroites de ce vieux quartier. Vous pouvez vous y promener seul, à votre guise, mais si vous prenez un guide, vous serez sûr de ne rien manquer d'intéressant. De plus, les quelques dirhams que vous donnerez à un jeune garçon écarteront les autres solliciteurs.

Tôt ou tard (tôt, avec un guide), vos pas vous porteront vers les principaux édifices de la *médina.* La **médersa Ben Youssef,** telle qu'elle se présente actuellement, date du XVIe siècle. C'est l'un des joyaux cachés au fond des ruelles sombres des vieux quartiers. Dans la cour, un bassin à ablutions disparaît presque sous la magnificence de ses arabesques de bois et de plâtre travaillés. Tout près, un curieux petit dôme *(koubba)* est le dernier vestige d'une mosquée construite sous les Almoravides (XIe et XIIe siècle).

Alors qu'il n'est généralement donné qu'aux premiers ministres et autres hôtes de marque de visiter un palais royal, le **palais de la Bahia,** au cœur de la *médina,* est ouvert au public (sauf lorsqu'un membre de la famille royale y séjourne). Un guide vous fera pénétrer dans le beau harem où vivaient jadis les quatre épouses légitimes d'un grand vizir, et il vous montrera, dans un bosquet où des plantes grimpantes s'enroulent autour des palmiers et des cyprès, un belvédère, sorte de pavillon d'été, élevé pour ces ensorcelantes beautés et leur noble époux. La favorite disposait même de somptueux appartements privés où son repos était bercé, nuit et jour, par un orchestre de chambre. Dans ce palais au luxueux ameublement, les draperies de velours et les riches peintures des plafonds ont gardé leur fraîcheur. Rien d'étonnant à cela: la Bahia date de la fin du XIXe!

De la Bahia, le chemin est court (mais tortueux) jusqu'au **Dar Si Saïd,** autre palais construit par un membre de la famille du grand vizir en question, et transformé en musée des Arts marocains. Malgré leurs vastes proportions, les salles ne sont pas impressionnantes, mais plutôt accueillantes et, bien sûr, merveilleusement décorées. Outre la gamme des spécimens d'art populaire, vous aurez la surprise d'y découvrir de petites chaises à porteurs montées sur une grande roue: charmant manège pour les enfants, les jours de fête. Ceux que l'histoire intéresse trouveront la reproduction en images des principaux monuments érigés par les dynasties marocaines, depuis les Idrissides jusqu'aux Alaouites. Et si vous vous demandez comment une robe nuptiale pouvait porter ces centaines de bijoux berbères exposés dans une vitrine, regardez donc les photographies présentées à côté qui montrent de jeunes mariées berbères en costume de cérémonie.

En bordure de la *kasba*, les ravissants **Tombeaux saadiens,** une des gloires de Marrakech, eurent leur entrée murée par le grand (mais vindicatif) Moulay Ismaïl. Un passage a été ménagé dans la muraille, et les visiteurs peuvent aujourd'hui circuler dans les jardins, entre les haies odorantes de romarin, pour admirer les mausolées, d'un raffinement inouï, où reposent les familles impériales saadiennes. A l'opulence du marbre de Carrare s'ajoute une débauche d'ornements: tuiles vernissées, dorures, stucs, boiseries de cèdre. Ahmed el Mansour, le conquérant de Tombouctou à la fin du XVIe siècle, avait trouvé ici une dernière demeure digne de lui.

Les jardins de l'Agdal et de la Ménara

Le **jardin de l'Agdal** s'étend au sud de la *médina* et du Palais royal. On doit le pénétrer comme un secret, aller au plus profond de ses moindres allées pour en découvrir tous les trésors. Au-delà d'un mur d'enceinte en pisé assez délabré, une oliveraie, sur plusieurs kilomètres, se déploie devant vos yeux. L'eau vive murmure dans les fossés d'irrigation, les gens se promènent paisiblement ou s'asseoient pour lire, bavarder, et les amoureux s'y donnent quelque rendez-vous clandestin. Passé un autre mur, un énorme bassin d'irrigation; plus loin, un autre, encore plus grand et, au-delà, des jardins bien dessinés. Partout des fleurs et des fruits, cultivés ou sauvages. Quelques figuiers surgissent du pied des murailles, et les enfants n'attendent guère que les figues soient mûres pour les cueillir.

A l'ouest, la **Ménara** comporte aussi une vaste oliveraie; en son centre, un immense bassin reflète à merveille le bleu du ciel. Au bout s'élève un pavillon d'où vous aurez une jolie vue sur les jardins et la ville. La Ménara existait déjà du temps des Almohades, mais elle a été embellie par leurs successeurs.

Marrakech s'est beaucoup étendu au cours du dernier siècle, mais en direction du quartier du Guéliz; ainsi, les vieux **remparts** n'ont pas eu à céder la place à des constructions nouvelles. Dans leur puissante nudité, ces murs ocre, qui s'écroulent par endroits, vous apparaîtront presque aussi formidables qu'aux envahisseurs du temps jadis. Le meilleur moment pour en faire le tour? Au lever ou au coucher du soleil, quand les murs se parent de leur teinte la plus chaude. Le mieux serait de louer un fiacre pour ce tour.

Un trajet d'une demi-heure (en auto) dans la **palmeraie,** à la lisière nord de l'agglomération, vous fournira maints sujets de photos. Peut-être aurez-vous aussi l'occasion de monter sur un chameau...

Excursions à partir de Marrakech

Pour qui désire rayonner dans le Sud marocain, cette ville constitue une base idéale.

La vallée de l'Ourika et l'Oukaïmeden

(Circuit Marrakech–Oukaïmeden–Marrakech: env. 150 km.)

C'est au volant, ou en taxi, que vous parcourrez le plus commodément la **vallée de l'Ourika,** au pied du DJÉBEL TOUBKAL (4165 m.), dans le Haut Atlas. Ne vous attendez pas à trouver une piste poudreuse, tracée en plein désert: les canaux qui amènent les eaux de fonte depuis le Toubkal – point culminant du pays – jusqu'à la ville quadrillent cette terre, la fertilisant au passage. Ce ne sont, partout, que vergers et cultures prospères.

Des forteresses en ruine et de modestes villages attireront également votre regard avant que les contreforts de l'Atlas ne s'imposent dans le paysage. La route en lacets serpente entre des hauteurs boisées, dominant un piémont aux riches terres noires, plantées d'arbres fruitiers, de céréales et de fleurs. La vallée de l'Ourika est particulièrement splendide au printemps, quand les vergers sont en pleine floraison.

À **Tnine el Ourika,** le marché du lundi est une vraie foire. Les marchands garent leurs véhicules bien en rang auprès de la rivière: le carburant le plus consommé est ici le fourrage, car les «véhicules» en question sont des bourricots!

Passé DAR CAÏD OURIKI, la route «escalade» le Haut Atlas jusqu'à l'**Oukaïmeden,** une station de sports d'hiver bien

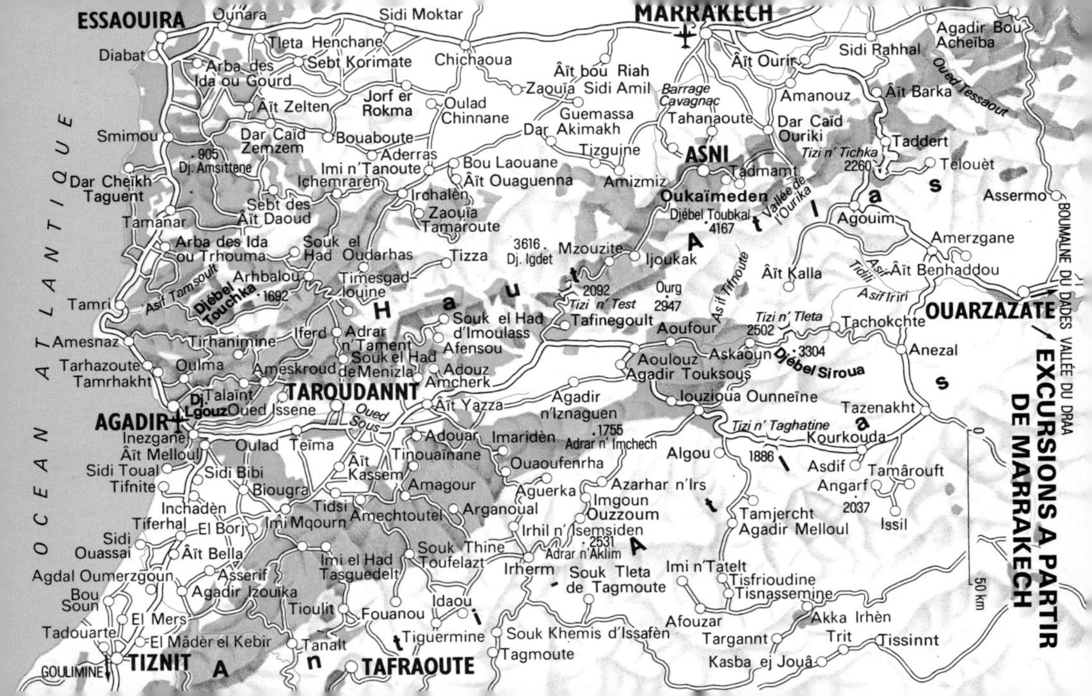

EXCURSIONS A PARTIR DE MARRAKECH
BOUMALNE DU DADES
VALLÉE DU DRAA
0
50 km
MARRAKECH
ESSAOUIRA
OUARZAZATE
TAROUDANNT
AGADIR
TIZNIT
TAFRAOUTE
ASNI
Oukaïmeden
Djébel Toubkal 4167
Djébel Siroua 3304
Djébel Touchka 1692
Tizi n' Tichka 2260
Tizi n' Test 2092
Tizi n' Tleta 2502
Tizi n' Taghatine
Oued Tessaout
Oued Sous
Vallée de l'Ourika
Barrage Cavagnac
Asif Tamsoult
Asif Tifnoute
Asif Iriri
Asif Tidili
Dj. Amsittene 905
Dj. Igdet 3616
Dj. Lgouz
Dj. Talaïnt
Adrar n' Imchech 1755
Adrar n' Aklim 2531
Ourg 2947
Ounara
Sidi Moktar
Tleta Henchane
Sebt Korimate
Chichaoua
Âït bou Riah
Zaouïa Sidi Amil
Âït Ourir
Sidi Rahhal
Agadir Bou Acheïba
Âït Barka
Amanouz
Dar Caïd Ouriki
Tahanaoute
Guemassa
Dar Akimakh
Tizguine
Amizmiz
Tadmamt
Taddert
Telouèt
Assermo
Agouim
Amerzgane
Âït Benhaddou
Âït Kalla
Tachokchte
Anezal
Tazenakht
Kourkouda
Asdif
Tamârouft
Angarf 2037
Issil
Tamjercht
Agadir Melloul
Imi n'Tatelt
Tisfrioudine
Tisnassemine
Akka Irhèn
Trit
Tissinnt
Targannt
Kasba ej Jouâ
Afouzar
Algou 1886
Iouzioua Ounneïne
Aoufour
Askaoun
Aoulouz
Agadir Touksous
Agadir n'Iznaguen
Ijoukak
Mzouzite
Tafinegoult
Souk el Had d'Imoulass
Afensou
Adouz
Amcherk
Âït Yazza
Adouar
Imaridèn
Ouaoufenrha
Aguerka
Azarhar n'Irs
Imgoun
Ouzzoum
Irhil n' Isemsiden
Irherm
Souk Tleta de Tagmoute
Souk Khemis d'Issafèn
Tagmoute
Tiguermine
Idaou
Fouanou
Tanalt
Tioulit
Souk Thine Toufelazt
Imi el Had Tasguedelt
Arganoual
Amechtoutel
Amagour
Tinouaïnane
Âït Kassem
Tidsi
Imi Mqourn
Biougra
Sidi Bibi
Oulad Teïma
Oued Issene
Inezgane
Âït Melloul
Sidi Toual
Tifnite
Inchadèn
Tiferhal
El Borj
Sidi Ouassai
Âït Bella
Asserif
Agadir Izouika
Agdal Oumerzgoun
Bou Soun
El Mers
Tadouarte
El Mâdèr el Kebir
GOULIMINE
Diabat
Arba des Ida ou Gourd
Âït Zelten
Jorf er Rokma
Oulad Chinnane
Smimou
Dar Caïd Zemzem
Bouaboute
Aderras
Imi n'Tanoute
Bou Laouane
Âït Ouaguenna
Ichemrarèn
Irchalèn
Zaouïa Tamaroute
Dar Cheïkh Taguent
Sebt des Âït Daoud
Tamanar
Arba des Ida ou Trhouma
Souk el Had Oudarhas
Tizza
Arhbalou
Timesgad-louine
Tamri
Amesnaz
Tirhanimine
Iferd
Adrar n'Tament
Souk el Had de Menizla
Ameskroud
Oulma
Tarhazoute
Tamrhakht
OCEAN ATLANTIQUE
H a u t A t l a s
A n t i A t l a s

équipée et très fréquentée. Roulez ensuite jusqu'aux abords de **Tizerag** (un quart d'heure à pied suffit alors pour atteindre la localité). Par temps très clair, la vue s'étend au nord jusqu'à Marrakech, que vous regagnerez par la même route.

Aux confins du désert

(Marrakech–Ouarzazate–Marrakech: environ 500 km.)

Prenez la route P31 au sortir de Marrakech: elle vous conduira par le col du Tizi n'Tichka (2260 m.), dans le Haut Atlas, jusqu'à la vallée du Draa (ou Dra) et à Ouarzazate. Après les paysages grandioses et la fraîcheur des montagnes boisées, une plaine nue s'étend devant vous, ponctuée de *kasbas.* Mi-forteresses, mi-palais, ces *kasbas* servaient aux «roitelets» locaux à assurer la défense de leur territoire, petit ou grand. Ils y jouaient tour à tour le rôle d'hôtes ou de voleurs de grand chemin à l'égard des caravanes traversant le désert pour gagner Marrakech. Dans cette région, la vie se concentre naturellement autour d'un cordon d'oasis.

Fondée en 1928 comme ville de garnison, OUARZAZATE s'élève au seuil du Sahara. L'artisanat y est actif. Un marché s'y tient le jeudi.

Essaouira

(Anciennement *Mogador*)

A environ 75 km. à l'ouest de Marrakech, sur la route d'Essaouira, **Chichaoua** est un centre de fabrication de tapis.

Essaouira, à 175 km. de Marrakech, est un rappel vivant des grands jours de la piraterie, quand l'Espagne, le Portugal et l'Angleterre rivalisaient avec les aventuriers marocains pour le contrôle des côtes. On sent l'influence ibérique dans les fortifications et les tours de cette ville, vieille de plus de 200 ans. Le plan d'Essaouira est dû à un Français, prisonnier du sultan de l'époque; aussi y trouve-t-on un peu plus d'ordre… et moins de rues tortueuses qu'ailleurs.

Au sud de la ville, une jolie plage aligne quelques hôtels et restaurants; à son extrémité ouest, vous verrez le port de pêche et la batterie ou «échelle» *(skala),* ancien fief des pirates. La rue principale va de la douane, près du port de pêche, à la Bâb Doukkala. Après avoir regardé les boutiques de cette artère, admiré les arches et les portes, vous n'ignorerez plus grand-chose de la vie quotidienne à Essaouira. Quand les bateaux de pêche rentrent à la Bâb Doukkala, il faut aller goûter le poisson, frit sur place.

Taroudannt

D'un seul coup d'œil, vous saurez tout de l'histoire de Taroudannt (à 225 km. de Marrakech). Entouré d'oliveraies, d'orangeraies et de champs verdoyants, c'est le centre de la riche plaine du Sous (ou Souss), irriguée par les eaux descendues du Haut Atlas. Au temps où les villes côtières étaient vulnérables aux attaques par mer, la situation de Taroudannt, au milieu des terres, et le respect inspiré par ses remparts brunis en firent tout naturellement la capitale imprenable de la région. Les gigantesques fortifications, bien préservées, constituent l'attraction majeure de la ville.

Les *souks* ne présentent pas moins d'intérêt que ces murailles. Les sculpteurs sont ici justement renommés... encore que rares soient les touristes prêts à prendre l'avion du retour avec un souvenir pesant une centaine de kilos! Vous pourrez néanmoins acquérir des objets plus légers, et le souvenir admiratif que vous garderez du talent de ces artistes-artisans ne pèsera, lui, rien du tout.

Le palmier-dattier dispense son ombre et prodigue ses fruits; ici, l'oasis cristallise toute vie...

Agadir

Rien ne saurait être plus moderne qu'Agadir (à quelque 240 km. de Marrakech). La ville doit pourtant son nom à une forteresse *(agadir)* du XVIe siècle, située au nord, sur une colline. En 1960, un terrible tremblement de terre détruisit complètement la vieille ville. La cité nouvelle, édifiée sur un terrain plus sûr, est une importante place de commerce pour la région du Sous, et un paradis pour les touristes amoureux du soleil.

L'architecture moderne, hardie, des bâtiments éblouissants de blancheur sous le soleil, vous séduira; mais attendez d'avoir enfilé votre maillot de bain, et vous ferez alors une expérience inoubliable. La plage de sable fin forme un croissant de quelque 10 kilomètres de long et, par endroits, de près de 400 mètres de large, et elle est en pente douce (ce qui est bien agréable pour les enfants). Mais plus au large, la houle est suffisante pour les amateurs de surf.

Bon nombre d'hôtels de luxe s'élèvent le long de la grève. Si, dans la construction, le rythme reste soutenu, on a

A Agadir, relevé de ses ruines, se mêlent tradition et modernisme.

sauvegardé quelques bosquets d'eucalyptus, frais et ombreux.

Passer sa journée à la plage constitue l'occupation favorite des touristes à Agadir. Des cafés sont prévus pour eux. A la tombée de la nuit, l'activité se déplace vers la ville, ses bistrots, ses boutiques de souvenirs et d'artisanat, vers les bars et les night-clubs de ses grands hôtels. Ces bars restent ouverts au-delà de minuit, mais les cafés ferment à 22 heures.

Tiznit et Goulimine

Les montagnes de l'Anti-Atlas forment, au sud d'Agadir, une barrière qui isole la ville du Sahara. La plupart des caravanes contournaient jadis les montagnes, faisant étape dans des villes comme Tiznit et Goulimine, qui en tirèrent profit.

Vous rappelez-vous l'image qu'enfant vous vous faisiez d'une oasis fortifiée au milieu du désert? **Tiznit** (à 92 km. d'Agadir), c'est tout à fait cela. Des murs rouges, crénelés, protègent la ville et, çà et là, des palmiers agitent leurs ombrelles. Malgré la présence de quelques hôtels et boutiques pour touristes, Tiznit vit pour et par ses habitants, avant tout. Vous les côtoierez dans l'intéressant petit *souk* des bijoutiers, l'endroit rêvé pour trouver une lourde broche berbère ou quelque autre bijou ancien.

A **Goulimine** (à 200 km. d'Agadir), vous êtes au seuil du Sahara, et le mode de vie des gens du désert a donné son caractère à la ville. Les Land Rover stationnées un peu partout portent la poussière des pistes, mais les véritables «moyens de

Les horizons du désert poudroient à l'infini: un monde farouche dont la beauté secrète, austère, est loin de laisser un nomade insensible.

transport» sont rassemblés chaque samedi sur la place du marché: il s'agit des chameaux. Si l'achat d'un chameau ne vous tente pas, vous y trouverez les objets, pareils à ceux que les «hommes bleus», magnifiquement drapés dans leurs cotonnades, rapportaient après avoir traversé les sables brûlants, parfois jusqu'à Tombouctou. Lorsque vous vous se-

Rigueurs géométriques révélées par les jeux de l'ombre et du soleil.

rez fait un vêtement avec quelques mètres de ce tissu indigo que vous leur aurez acheté, vous comprendrez, à le voir déteindre sur votre peau, d'où ces hommes tirent leur nom curieux!

En dehors de l'animation des jours de marché, Goulimine vous offre quelques restaurants typiques, des boutiques et un ancien *ksar* (village fortifié). Le *moussem* (pèlerinage de Sidi M'hamed Benamar, au début de juin, attire pour ses cultes, ses jeux et ses festivités des tribus venues du désert.

Tanger

Situé à la pointe septentrionale du Maroc, point de rencontre de l'Afrique et de l'Europe, Tanger a toujours occupé une place à part dans l'histoire du pays. Les Phéniciens y avaient établi un comptoir et, plus tard, les Romains fondèrent la ville de Tingis d'où la province de Mauritanie Tingitane tira son nom. Cependant, la ville dut laisser à Volubilis le rôle de capitale régionale. Passé à l'Angleterre lors du mariage de Catherine de Bragance avec Charles II (en tant que partie de la dot), Tanger redevint marocain en 1681. En 1905, la ville reçut la visite de Guillaume II, soucieux de faire pièce aux ambitions de la France au Maroc.

Sous le Protectorat (voir p. 18), Tanger avait un statut spécial comme «zone internationale», administrée par une commission de diplomates. Cette étrange situation, avec les privilèges qui en découlaient, devait attirer toutes sortes d'aventuriers. Bien qu'aujourd'hui Tanger fasse partie du Maroc au même titre que Rabat ou Marrakech, un certain parfum cosmopolite y plane encore, grâce à la foule des touristes qui traversent le détroit de Gibraltar et y débarquent avant de poursuivre leur voyage vers l'intérieur du pays.

Visiter Tanger et le nord du Maroc suppose quelque aptitude à passer d'une langue à l'autre. Sous le Protectorat, tout le nord du pays était gouverné par l'Espagne et, plus que le français, l'espagnol reste la langue dominante. Et bien que les *Tanjaoui* sachent s'exprimer dans les deux langues (sans parler de l'arabe), vous entendrez plus souvent dire *buenos días* que «bonjour».

Le cœur de la ville

Au centre de la ville moderne se trouvent le boulevard Pasteur et la place de France et, à proximité de cette place, de nombreux cafés, restaurants, librairies, agences de voyages.

La **terrasse** qui s'étend au bout du boulevard Pasteur (à deux pas de la place de France) offre un beau coup d'œil sur le port et même sur la côte espagnole. Le soir, habitants et touristes aiment à s'y promener.

La *médina* est située sur la pente. Avec – comme il se doit – son labyrinthe de ruelles, de passages et d'impasses, elle n'est pas très étendue. Vous pourrez ainsi l'explorer seul, en flânant au hasard, et découvrir ses secrets en même temps que ses pôles traditionnels. Et d'abord, en bordure de la *médina,* le Grand Socco (grand *souk*), officiellement dénommé place du 9 avril 1947 (terminus des autobus de la ville et importante station de taxis). Le **Petit Socco,** au centre de la *médina,* occupe une charmante place entourée de cafés; attablez-vous à une des terrasses, et regardez passer la foule.

La kasba

Perchée sur la colline qui domine la *médina,* la *kasba* semble une citadelle imprenable, par terre ou par mer.

Tanger, à la rencontre de l'Afrique et de l'Europe, de la mer et de l'océan, enjeu de mille enjeux...

Aussi n'est-il pas surprenant que le grand sultan alaouite Moulay Ismaïl s'y soit fait construire un palais protégé par des batteries de canons. Aujourd'hui, ce palais abrite deux musées.

Si vous arrivez par la rue Riad Sultan, vous accéderez, par un porche (non signalé), dans le **jardin du Sultan.** Le lierre et la vigne vierge couvrent des treillages, et les oiseaux chantent dans les orangers. Après avoir traversé un autre petit jardin planté de bananiers et d'un énorme figuier à trois troncs, vous entrerez dans le palais, le **Dar el Makhzen.**

La belle cour intérieure, bordée de grosses colonnes de marbre, constitue le cœur du **musée des Arts marocains.** De là, des porches et passages permettent d'accéder aux salles d'exposition. Les collections comprennent de véritables trésors: corans enluminés, tissus précieux, objets sculptés en bois ou en métal, tapis berbères, céramiques, bijoux. Le musée des Antiquités, attenant, vous fera découvrir les différentes étapes de l'histoire de Tanger.

En quittant le palais, vous visiterez l'élégant **Bit el Mal,** l'ancien trésor. Les choses se passaient simplement du temps de Moulay Ismaïl: pour contenir l'or et les pierres précieuses, des coffres de bois – gigantesques, il est vrai! – tenaient lieu de coffres-forts. Des balcons, vous surplomberez le *méchouar,* où se déroulaient les parades.

Traversez le *méchouar* pour gagner une terrasse d'observation d'où vous aurez, vers le nord, la meilleure vue sur le port et le détroit de Gibraltar.

Excursions à partir de Tanger

Chaouen

(Chéchaouen, Chefchauen, Xauen)

Cette excursion, l'une des plus belles qui soient, vous conduira dans le Rif jusqu'à Chaouen, à 120 km. au sud de Tanger.

Au bout de 60 km. de route, vous serez à TÉTOUAN, qui n'a guère à offrir aux touristes que le souvenir de son ancienne importance historique. Là se réfugièrent, en effet, nombre de Maures chassés d'Espagne à la fin du XVe siècle, après la Reconquête, et l'endroit fut ensuite considéré comme un repaire de pirates.

L'apparition de **Chaouen** ne laisse pas de surprendre. Cette petite ville, qui occupe un site sauvage dans un cadre de montagnes rocailleuses et de défilés vertigineux, règne sur les collines et les vallées des alentours. On comprend vite quelle fut son histoire en voyant coexister une *médina* typiquement marocaine et une *plaza* espagnole classique: arcades finement travaillées, treilles et bancs décorés de zelliges autour d'une fontaine. On trouve également l'église et la mairie sur cette Plaza Mohammed V.

Les Espagnols sont partis en 1956 après une occupation de

Au marché de Chaouen, quand on cherche l'ombre, on trouve les amis! A droite: *à Asilah, étonnant échantillonnage de carreaux vernissés.*

36 ans et, malgré des traces d'influence ibérique (ainsi, les toits de tuile rouge), c'est aujourd'hui la loi de l'islam et une atmosphère bien marocaine qui prévalent à Chaouen. Une fois dépassé la **Plaza el Makhzen,** ses arcades peintes et ses boutiques, dirigez-vous vers la **kasba,** plusieurs fois centenaire. Elle a été récemment restaurée, et dans ses jardins fleuris, vous goûterez un moment tranquille à l'ombre des palmiers. Les *souks* colorés abondent dans la *médina.* Outre des tapis de fabrication locale, on vous vendra des pierres polies provenant des collines alentour.

Enfoncez-vous dans l'arrière-pays: des **points de vue** grandioses vous y attendent. Là où la montagne n'est pas trop abrupte, ce ne sont que pentes verdoyantes couvertes de pâturages, de vergers, de cultures, avec çà et là les taches blanches de petites maisons au toit de tôle.

Asilah et Lixus

A 45 km. au sud de Tanger, sur la route de Rabat: la jolie ville d'**Asilah.** Il faut, en fait, quitter la grand-route et gagner la côte elle-même pour découvrir ce port de carte postale, flanqué d'une imposante *kasba.* Les Portugais s'en emparèrent en 1471 (on retrouve les traces de leur passage dans l'architecture des remparts). Puis ce fut le tour des Espagnols. En tout, l'occupation étrangère dura près de deux cents ans avant qu'Asilah ne revienne au Maroc. Vers 1900, un brigand du nom de Raïssouli (une vraie tête brûlée), en fit sa place forte et éleva un palais à l'intérieur de la *kasba.*

Mais, une fois que vous aurez sillonné la ville à loisir, vous irez, hors les murs, déguster poisson et fruits de mer dans les petits restaurants du port. Les connaisseurs passant par Asilah n'y manquent jamais le rendez-vous du déjeuner. Avec un minimum de cérémonie, et un maximum de saveur, la pêche du jour est servie pour un prix raisonnable sur des tables dressées sur les trottoirs et dans de petits jardins.

L'antique **Lixus,** l'une des plus anciennes cités du Maroc, n'est qu'à 38 km. d'Asilah. Les Phéniciens furent les premiers à y installer un comptoir et cela, dit-on, dès le XIe siècle av. J.-C. Quoi qu'il en soit, Lixus était une ville importante du temps où le pays faisait partie de la province romaine de Mauritanie Tingitane. Sa prospérité venait de ce qu'elle expédiait du sel et du poisson à Rome. De la route, on peut encore voir les ruines des «con-

serveries». En haut de la colline, il reste, de l'ancienne acropole, des temples, des thermes et un théâtre.

Une vallée toute proche, celle de la Loukos, aurait été le jardin des Hespérides, célèbre dans la mythologie grecque pour les pommes d'or que portaient ses arbres...

Dans les rues d'Asilah, vous serez convié à une exposition pour le moins inattendue, qui résume quelque «vingt mille ans d'art moderne».

Que faire

Les achats

Les *souks* et les *médinas* des villes impériales semblent sortir tout droit des *Mille et une Nuits.* Visitez-les pourtant de jour et, de préférence, avant la grosse foule des fins d'après-midi. Les boutiques sont ouvertes tous les jours, bien que certaines ferment quelques heures le vendredi, jour férié pour les musulmans.

Les boutiques «européennes» sont ouvertes de 8 h. à midi et de 15 h. à 19 h., excepté le dimanche.

Des tapis, encore des tapis, toujours des tapis. Tous les moyens sont bons pour appâter le client!

Le marché hebdomadaire apporte aux villes et aux villages une activité toute particulière. Voici la liste des marchés les plus vivants:

Agadir: le samedi et le dimanche;
Chaouen: le jeudi;
Goulimine: le samedi (marché aux chameaux);
Marrakech: le jeudi (marché aux chameaux);
Taroudannt: le vendredi;
Tiznit: le jeudi et le vendredi.

Les bonnes affaires

En premier sur la liste d'achats de la plupart des visiteurs: le **cuir.** Souple et de grain fin, le «maroquin» devient couvre-livre, portefeuille, garniture de bureau et bien d'autres objets; plus robuste, il se transforme en pouf, en valise, en cartable, en sac à main, en babouches.

Les **bijoux** modernes, en argent joliment travaillé, sont d'un prix abordable. Les bijoux berbères anciens, d'argent, d'ambre ou de corail, coûtent cher, mais ils sont d'une extraordinaire beauté.

Les **vêtements** attirent également les touristes. Les dames voudront se choisir au moins un *caftan,* simple ou fantaisie, dont elles feront une chemise de nuit ou une robe d'hôtesse. Les messieurs trouveront peut-être les *burnous* un peu encombrants, mais les capes traditionnelles, noires avec un capuchon, sont non seulement

pratiques, encore font-elles beaucoup d'effet.

Si le transport ne pose pas de problèmes, vous pourrez vous laisser tenter par un **plateau en cuivre** martelé qui, avec son support, formera une charmante table.

Les **théières** orientales, trapues, dans lesquelles on met à infuser de la menthe, sont en argent, en étain ou même en aluminium: il y en a ainsi pour tous les goûts et tous les budgets!

Les **tapis** marocains, de haute laine et à points noués, sont en général tissés plus lâches que d'autres tapis faits main (leurs dessins sont moins compliqués que ceux des tapis persans ou turcs), mais ils sont résistants, agréables à l'œil et d'un prix très raisonnable par comparaison avec des tapis plus prestigieux. Vous en trou-

Le souk *offre des «prix écrasés». Et les malins peuvent marchander.*

verez dans toutes les grandes villes; ils sont cependant fabriqués pour la plupart dans les villages où le choix est plus vaste et où les prix sont plus intéressants. Les artisans se groupent souvent en coopératives qui fixent les normes de qualité et les tarifs: inutile alors de vous mettre à marchander!

Le marchandage

Dans une économie où nombre de produits sont fabriqués à la main, la valeur de chacun d'entre eux diffère selon la qualité d'exécution. Marchander est ainsi un moyen d'arriver à un juste prix et non pas seulement, pour le vendeur, le moyen de tirer plus d'argent d'un client que d'un autre. Pour obtenir le meilleur prix, promenez-vous d'abord un peu au marché et comparez les prix d'articles similaires. Il est fréquent, au Maroc, que l'accord se fasse finalement sur un prix bien inférieur à celui demandé au départ.

Si marchander vous ennuie, si vous jugez cela comme une perte de temps, choisissez un article qui vous plaît et décidez une fois pour toutes combien vous êtes prêt à le payer. Par exemple, si vous êtes séduit par un pouf ou par une valise qui vous coûterait l'équivalent de 200 dirhams dans votre pays, dites-vous qu'il serait raisonnable de le payer entre 75 et 100 dirhams. Si le vendeur vous en demande 80, vous faites une affaire; s'il vous en demande 150, offrez-lui-en 75, et vous l'aurez finalement pour 100. Si l'accord ne se fait pas, n'ayez pas honte de vous éloigner. Bref, en règle générale, décider soi-même du prix qu'on veut mettre est une méthode qui s'avère satisfaisante.

Les sports

Plages et baignade

Les côtes du Maroc, qui se déroulent sur près de 2000 kilomètres, présentent des plages extraordinaires. Celles qui sont situées aux alentours de Rabat comptent parmi les plus belles: **Témara,** au sud de la ville, et la **plage des Nations,** au nord, ont leurs amateurs pendant les mois d'été. Les plages de l'Atlantique possèdent bien des attraits, mais faites attention quand vous n'avez plus pied, le ressac pourrait vous entraîner en un rien de temps. La plage d'**Agadir,** sans doute la perle du Maroc, est aussi la mieux protégée contre les dangers des courants de fond, dangers qui n'existent pas en Méditerranée. Les plages de la «Grande Bleue» sont sûres et la mer tiède. On commence seulement à aménager des stations balnéaires au pied du Rif. La région la mieux pourvue en hôtels et en restaurants est située au sud de **Sebta** (Ceuta). Voyez aussi les stations de **Taïfor, Cabo Negro, M'diq** et **Smir-Restinga.**

Golf
Au Maroc, le golf est un sport royal, puisque Hassan II se plaît à le pratiquer. Rabat et Agadir possèdent des links à 18 trous et un à 9 trous, avec tous les équipements correspondants. On peut également jouer au golf à Mohammedia, à Marrakech (18 trous), ainsi qu'à Tanger, à Meknès et à Casablanca (9 trous). Les links sont ouverts toute l'année.

Pêche
Que vous pratiquiez la pêche en haute mer, sous-marine, au lancer ou à la ligne, les côtes, lacs et rivières du Maroc vous offrent d'infinies possibilités.

On vous indiquera les dates d'ouverture de la pêche, et on vous délivrera un permis à la Direction des Eaux et Forêts, Ministère de l'Agriculture, à Rabat. Les autres villes de quelque importance ont également un service des Eaux et Forêts auquel vous pourrez vous adresser. Localement, les clubs de pêche vous donneront des informations et vous aideront à trouver un équipement de location.

Voile
Il existe des clubs de voile à Tanger, à Rabat, à Mohammedia, à Casablanca, à Agadir et dans d'autres villes côtières. Vous y trouverez aide et conseils si vous désirez explorer les baies et criques du rivage marocain.

Equitation
Une fédération très active groupe les nombreux clubs hippiques du pays. Louez un cheval pour une promenade sur la plage ou dans la campagne, ou joignez-vous à une randonnée organisée dans le Haut-Atlas. La Fédération d'Equitition, Dar es Salam, à Rabat ou des organisations locales vous fourniront les informations voulues et établiront votre carte de membre temporaire.

La chasse
Les touristes sont les plus choyés des chasseurs: à Arbaoua, non loin de la côte, au sud de Larache, une «réserve

Que l'on fende l'eau sur des skis ou mette les voiles sur la plage, ce n'est jamais la place qui manque.

touristique de chasse» de près de 120000 hectares leur est destinée. Montrez votre permis national aux autorités locales, et vous pourrez obtenir, moyennant finance, une licence spéciale (non renouvelable) de 30 jours. Une assurance obligatoire, d'un prix modéré, vous sera délivrée sur place. Seules sont autorisées les armes à canon lisse. La saison va d'octobre à février. Le gibier comprend lièvres, sangliers et canards sauvages.

Vous pourrez également vous livrer à la chasse de fin septembre à début mars dans des réserves un peu moins étendues, aux abords de: Essaouira, Ouezzane, Oulmès, Mamora, Meknès et Marrakech. Pour plus de détails, adressez-vous à l'Office National Marocain du Tourisme ou à la Fédération Royale de Chasse, 36 avenue Omar-Ibn-Khattab, Rabat.

Le ski

Foin des idées reçues! Au Maroc, on pratique le ski en diverses régions: Rif, Moyen et Haut Atlas. Mais les conditions sont très variables, et la neige, abondante une année, se fera peut-être rare l'année d'après. L'Oukaïmeden, situé près de Marrakech, et Ifrane, près de Meknès, sont des stations spécialement bien équipées pour satisfaire les fervents de sports de neige. Mieux vaut réserver ses chambres pour le week-end, en saison.

La vie nocturne

En fin d'après-midi, tout le monde est dehors dans les villes marocaines. On se promène, on regarde, on se montre, on s'asseoit un moment à la terrasse d'un café, et puis on reprend sa promenade. La foule se presse devant les cinémas, que le film soit en français, en arabe ou en quelque autre langue. Dans des endroits comme la place Jemaa el Fna, à Marrakech, le nombre et la variété des distractions en plein air augmentent à mesure que le soir tombe. Le calme revient peu à peu vers minuit.

Les grands hôtels organisent avec les Syndicats d'initiative locaux des soirées folkloriques. Bien qu'elle ne soit pas typiquement marocaine, la danse du ventre constitue souvent... le «clou» du spectacle. Dans quelques stations, vous trouverez des clubs disco, et les bars des hôtels sont à votre disposition.

Le Maroc n'est pas un paradis pour les joueurs: deux casinos se partagent la scène, un à

Mohammedia, et l'autre, plus important, à Marrakech; vous pourrez assister au spectacle proposé dans le restaurant de ce dernier.

Pour beaucoup de touristes, la meilleure façon de terminer la journée est encore de se rendre dans un petit restaurant sympathique et d'y savourer un dîner tout à loisir.

Le folklore

Le modernisme a gagné le Maroc, mais la vie d'autrefois, fertile en traditions, s'y maintient fermement.

Chaque année, les fameux «hommes bleus», les Rijel Zuraq, rassemblent leur caravane avec le même cérémonial avant d'entreprendre l'héroïque tra-

Pour manipuler et amadouer un reptile, il y a décidément l'art et la manière, ce qui n'est pas donné à chacun. Libre à vous d'essayer!

versée du désert. A divers moments de l'année, à l'occasion de fêtes religieuses, ou *moussems,* des familles, des tribus, viennent de tous les coins du pays pour plusieurs jours de dévotions sur la tombe d'un saint et de réjouissances collectives. Certains spectacles font partie des traditions les plus anciennement établies et les plus fascinantes: ainsi, la brillante garde d'honneur qui, le vendredi, accompagne le roi à la mosquée. Cette procession a lieu à Rabat, mais seulement si les conditions météorologiques, diplomatiques ou protocolaires s'y prêtent. A Rabat toujours, la relève de la garde devant le tombeau de Mohammed V (chaque jour, à heure variable) vaut également le spectacle.

La danse tient une grande place dans toutes les festivités, populaires ou religieuses. La plus célèbre des danses marocaines est l'étrange *guedra,* exécutée par les femmes berbères de l'extrême Sud. La danseuse, couverte de nombreux voiles noirs, reste assise, mais elle fait onduler ses mains, ses bras et ses épaules d'une façon si étrange et mystérieuse que la foule entre en transe.

En fait, les danses marocaines les plus vivantes, les plus rythmées sont originaires de régions plus méridionales d'Afrique. Vous reconnaîtrez les danseurs *Gnaouas* à leur costume blanc et noir, décoré de coquillages, et au battement vif de leurs tambours et de leurs sistres. Un groupe de ces danseurs se tient presque en permanence sur la place Jemaa el Fna, à Marrakech.

Odeur de la poudre, tourbillon des cavalcades, cris de guerre: la fantasia? *C'est la guerre pour rire, qui donne le grand frisson...*

La plus saisissante des manifestations folkloriques est sans conteste la *fantasia*, une merveille de précision équestre... à vous couper le souffle. Imaginez-vous tranquillement assis comme spectateur, tandis que de farouches cavaliers aux robes flottantes tourbillonnent, galopent vers vous, le fusil brandi, dans un bruit de tonnerre! Des cris de guerre sont échangés dans le tohu-bohu et, tout d'un coup, sans qu'aucun ordre n'ait retenti, les cavaliers s'arrêtent pile en bordure du public et déchargent leurs armes, avant de disparaître aussi rapidement qu'ils sont venus. Les villes de Tanger, Agadir et Marrakech organisent des *fantasias* pour les touristes.

Fêtes et moussems

Parmi les nombreuses fêtes, les *moussems* sont d'étonnantes manifestations à caractère religieux. Ils ont lieu chaque année et rassemblent soit un groupe de villageois, soit des milliers de personnes, selon qu'il s'agit d'un pèlerinage sur la tombe d'un saint patron local ou d'un

Il n'est point de moussem *sans musique. Cet instrument* (el-oud), *adopté au temps jadis par nos troubadours, n'est autre qu'un luth.*

«marabout» de plus grande renommée. Nuit et jour, les danseurs succèdent aux jongleurs, aux conteurs, aux acrobates, sans oublier les cavaliers des *fantasias.* S'il n'est pas permis aux non-musulmans d'approcher la sainte tombe, on les invite à partager la liesse populaire.

Le calendrier musulman est lunaire, ce qui veut dire que la date des principales fêtes religieuses est mobile, avançant chaque année de près de deux semaines par rapport à notre calendrier. Vous trouverez dans les Informations pratiques, à la fin de ce guide, une rubrique JOURS FÉRIÉS.

Principaux festivals

Fin mars	*Casablanca*	Festival de théâtre
Avril	*Sefrou*	Festival des Cerises
Début mai	*Essaouira*	*Moussem* de la Zaouïa el Kettania
Mai/juin	*El Kelaa des Mgouna*	Festival des roses
Mai/juin	*Marrakech*	Festival national de folklore
Début juin	*Goulimine*	*Moussem* de Sidi M'Hamed Benamar
Juin	*Casablanca*	*Moussem* de Sidi Moussa
Juillet	*Chaouen*	*Moussem* d'Outa Hammou
Début août	*Témara (Rabat)*	*Moussem* de Sidi Lahcen
Août	*Rabat*	*Moussem* de Dar Zhirou
Août	*Ourika (Marrakech)*	*Moussem* de Sitti Fatma
Fin août	*Essaouira*	Moussem de Sidi Mogdoul
Début septembre	*Fès*	*Moussem* de Sidi Ahmed el Bernoussi
Début septembre	*Marrakech*	*Moussem* de Sidi Abdalhak ben Yasin
Mi-septembre	*Marrakech*	*Moussem* d'El Guern
Septembre	*Meknès*	Festival national de la *fantasia*
Septembre	*Moulay Idriss (Meknès)*	*Moussem* de Moulay Idriss Zerhoun
Septembre	*Imílchil*	Festival des fiancés
Octobre	*Tissa*	Festival du cheval
Octobre	*Erfoud*	Festival des dattes

Les plaisirs de la table

Abondance et sobre élégance sont les qualités qui caractérisent le plus souvent la cuisine marocaine traditionnelle. Moins relevée que celle d'autres pays arabes, elle vous réservera plutôt de «douces surprises».

Où prendre ses repas

Le Protectorat a marqué de son influence les traditions culinaires. On trouve d'excellents restaurants français dans les villes impériales et les autres agglomérations. Dans le nord du pays, du fait de l'occupation espagnole, de nombreux restaurants affichent des menus ibériques. Mais à Tanger, à Rabat et à Marrakech, vous pourrez aussi choisir entre des restaurants chinois, vietnamiens, italiens, etc.

Pour plaire à tout le monde, les grands hôtels proposent toujours un menu où le familier voisine avec l'exotique. On trouve presque partout des spécialités comme le *couscous.*

Dans les *médinas,* vous pourrez manger simplement et à très bon compte si vous n'êtes pas trop regardant sur les conditions sanitaires.

Il est agréable de prendre le

petit déjeuner, un casse-croûte ou un repas léger à la terrasse d'un café, comme en France. On trouve également des snack-bars dans les grandes villes.

Le petit déjeuner

Au Maroc, le petit déjeuner traditionnel se compose d'un

Les cafés sont l'un des pôles d'attraction de la vie sociale en ce pays: rien de tel qu'une terrasse pour se faire de nouveaux amis.

thé à la menthe, de tartines grillées et d'une poignée d'olives. Mais les citadins commencent le plus souvent la journée à la manière française avec un café et des croissants ou diverses pâtisseries, pris le plus souvent à une terrasse. Dans les cafés, une corbeille posée sur le comptoir contient des croissants frais. Vous vous servez et, au moment de payer, vous indiquez au garçon combien vous en avez pris. A l'hôtel, le petit déjeuner «touristique» comprend un croissant, un petit pain, du beurre et de la confiture, avec du café, du thé ou du chocolat. Ne mangez pas trop si vous voulez «être d'attaque» à midi: le déjeuner, ici, n'est pas une mince affaire, et il est suivi d'une bonne sieste!

Le déjeuner et le dîner

On sert le déjeuner entre midi et 15 h., le dîner entre 19 h. et 21 heures.

Un repas typiquement marocain comportera vraisemblablement une soupe, une *bstilla,* un *couscous* et un dessert, encore qu'un seul de ces plats puisse satisfaire votre appétit.

Les soupes

La plus fameuse est l'épaisse, la savoureuse *harira,* à base de mouton et de veau, d'oignons, de lentilles, de tomates, entre autres. On sert la *harira* (le mot est presque devenu synonyme de soupe) toute l'année dans les restaurants, mais c'est plus particulièrement l'un des plats traditionnels pendant le Ramadan, sous une forme ou une autre.

La bstilla *(bastela, pastilla)*

Sur les menus, vous ne trouverez pas cette délicate spécialité aussi souvent que le *couscous,* car elle suppose une longue préparation. Il faut d'abord faire cuire des pigeons, puis en répartir la chair sur une pâte feuilletée ultra-mince *(ouarka)*; on ajoute du safran, des amandes et du sucre; on passe le tout au four et il en ressort un «pâté» croustillant, véritable gloire de la cuisine marocaine.

Autre spécialité feuilletée: les *briouats,* petits chaussons farcis de *kefta* (viande aromatisée, finement hachée), de riz, d'amandes, de cervelle, de saucisse, de poisson, bref d'un peu de tout. On les trempe dans la friture et on les sert chauds. Les *rghaïfs* (si vous arrivez à prononcer ce mot pour en commander) constitueront également une entrée délicieuse. Ce sont des sortes de crêpes fourrées d'ingrédients les plus divers et servies chaudes. Vous serez alors prêt à attaquer le plat de résistance...

Le couscous

Il n'est pas concevable de séjourner au Maroc sans s'attabler au moins une fois devant un bon *couscous,* ce plat de fine semoule cuite à la vapeur, escortée de légumes et de viande. Chaque chef a sa propre recette et choisit les légumes qui, avec de succulents morceaux de mouton, viendront accompagner la semoule en grains. Une tête de mouton rôtie figure dans l'une des recettes, pas très courante il est vrai. Dès leur plus jeune âge, les Marocains apprennent à se servir des doigts de la main droite pour manger le *couscous.* Ils le font avec beaucoup de style: morceaux de viande, raisins secs, pois chiches ou légumes sont roulés avec de la semoule pour former des boulettes parfaitement sphériques que les convives portent prestement à leur bouche. Aux touristes inexpérimentés, on n'oublie jamais de fournir un couvert!

Autres spécialités

C'est lors d'un *moussem* que vous aurez probablement l'occasion de participer à un *méchoui:* on creuse une fosse que l'on emplit de charbon de bois, et on fait tourner à la broche un mouton entier au-dessus des braises. A cette occasion, le service ne sera pas celui d'un restaurant chic, mais vous vous en passerez très bien au milieu d'une foule mise en appétit par le fumet de viande grillée. Vous aurez aussi l'occasion d'apprécier le *méchoui* lors d'un des banquets organisés pour les touristes, à Marrakech, Tanger ou Agadir.

Les restaurants du Maroc entier proposent des brochettes *(kebab)* de foie, de rognons ou de cœur d'agneau ou de bœuf, grillées au-dessus d'un feu de charbon de bois.

La viande hachée *(kefta)* sert à confectionner des rissoles aromatisées de multiples façons. On peut aussi la faire frire avec des œufs et du piment rouge. C'est un plat délicieux, mais très relevé.

Le poulet figure souvent sur les tables marocaines, simplement rôti et présenté sur une petite montagne de couscous, ou agrémenté de mille façons. Ainsi, le célèbre *poulet au citron* se prépare avec des épices douces et des écorces de citron marinées pendant des semaines.

Une autre préparation qui vous semblera encore plus exotique consiste à accommoder le poulet de pruneaux, d'amandes sautées au beurre et de graines de sésame grillées: un régal, là encore!

Il existe un ragoût marocain, le *tajine,* du nom de la marmite en terre dans laquelle il a mijoté. Dans les bons restaurants, on vous le servira dans ce récipient au couvercle conique. Mais il est peu probable que le chef l'aura vraiment fait cuire selon la recette traditionnelle qui veut que la marmite soit placée au milieu des braises, dans le sol. Les avis ne concordent pas sur la composition du *tajine;* on y trouve au hasard des petits pois, des haricots

Les plaisirs de la table marocaine, à vous en faire venir l'eau à la bouche: d'exquises pâtisseries et (à droite) *un fameux* couscous.

verts, des carottes, des aubergines, des courgettes, des tomates, selon ce que le chef (ou la maîtresse de maison) a trouvé au marché, et des morceaux d'agneau, de veau ou de bœuf. On appelle *hout*, le *tajine* de poisson.

Poissons et fruits de mer
La longueur du littoral, le grand nombre de lacs et de rivières, voilà qui explique la variété qu'offre le Maroc en la matière. Viennent en tête: le mulet, la daurade, l'alose et le loup. Il existe aussi des anguilles de la taille d'une allumette; sautées au beurre et à l'ail, elles sont délicieuses. Le poisson accompagne parfois *couscous* et *tajine*, mais grillé, poché ou mariné, il constitue le plus souvent un plat par lui-même.

Parmi les fruits de mer, si variés dans les eaux marocaines, citons les poulpes et les calmars, servis après avoir été plongés dans de l'huile bouillante.

Les salades
Outre la simple salade verte, produit de l'influence française, les Marocains préparent traditionnellement leurs salades avec des tomates, du persil, du jus de citron, de l'huile d'olive et une pincée de ce cumin qu'ils mettent partout. Les composants de la salade sont servis crus ou refroidis après cuisson.

Les desserts et les fruits
Les Marocains aiment les sucreries. Le miel entre pour une

bonne part dans de nombreux desserts. Les *briouats*, petits chaussons de fine pâte feuilletée, se mangent au début du repas quand ils sont salés; sucrés, ils sont fourrés de miel et d'amandes. Les *griouches*, tortillons de pâte parfumée au miel et aux graines de sésame, figurent à la fin du repas, et on en déguste à n'importe quelle heure dans les *souks* ou à l'occasion de quelque *moussem.*

Citons, parmi les friandises les plus renommées, les «cornes de gazelle» *(kaab et ghzal),* faites de pâte d'amandes parfumée à la fleur d'oranger. Vous ne manquerez donc pas de quoi satisfaire votre gourmandise à l'heure du café.

Vous raffolez des confiseries? Demandez la carte, qui propose très souvent des dattes d'excellente qualité, fourrées d'une préparation à base d'amandes grillées et de sucre, parfumée à la fleur d'oranger.

Les fruits, enfin, font les délices des touristes. Selon la saison, oranges, pêches, figues, dattes, abricots, fraîchement cueillis, se vendent au marché ou même au bord des routes.

Les boissons

La loi islamique interdit la consommation de boissons alcoolisées. Les musulmans stricts s'en tiennent donc au thé à la menthe ainsi qu'à l'eau minérale. Mais ceux qui apprécient le vin et ceux qui s'abstiennent d'en consommer dînent en général paisiblement côte à côte.

La tradition vinicole introduite par les Français a permis d'obtenir de bons crus locaux. Dans les grandes villes, un certain choix vous sera offert, même dans les restaurants modestes. Les meilleurs établissements vous proposeront naturellement une sélection plus ample. Les vins les plus réputés sont le *Cabernet* (rouge et rosé), le *Valpierre* (rouge et blanc), le *Vieux Pape* (rouge), l'*Oustalet* et le *Boulaouane* («gris» et blanc) ainsi que le *Guerrouane* («gris»). Mais n'hésitez pas à faire d'autres expériences.

L'influence française explique également le nombre d'apéritifs vendus dans les bars et les cafés, certains étant mis en bouteilles au Maroc même. Les alcools comme le cognac, le whisky, le gin, le rhum et la vodka ne sont servis que dans certains cafés bien approvisionnés ou dans les hôtels.

En revanche, on vous proposera de la bière marocaine dans nombre de cafés et de restaurants. Peut-être lui trouverez-vous un goût quelque peu inattendu. N'hésitez pas à commander alors une «blonde» de grande marque; plusieurs bières mondialement connues sont, en effet, brassées sous licence en ce pays.

Les boissons sans alcool sont d'un prix assez modique. En revanche, le vin importé et les spiritueux sont relativement coûteux.

Vous verrez partout des machines censées faire du café... *espresso*, mais le breuvage qui en sort s'avère plutôt insipide. De même, le thé noir vous paraîtra sans doute assez léger.

Le thé à la menthe: une cérémonie

En visite chez des Marocains, vous n'échapperez pas au cérémonial déroutant, mais sympathique, du thé à la menthe. On ébouillante d'abord une grosse théière d'argent, d'étain ou d'aluminium, puis on la vide. On tasse ensuite du thé et de la menthe dans le pot, et on verse dans celui-ci, en le giclant au dehors et au dedans, un peu d'eau bouillante; cette eau est aussitôt jetée. Après avoir ajouté du sucre, on remplit la théière d'eau, là encore, bouillante.

On laisse alors infuser quelques minutes. Puis, en tenant le pot à bonne hauteur, on emplit un verre de cette infusion pour en apprécier la «force» à la couleur, avant de la reverser dans la théière. On tire à nouveau un verre de ce breuvage pour juger cette fois de sa douceur, et l'on rajoute du sucre en conséquence, selon les goûts. Dès lors, le thé est prêt et le moment crucial est arrivé. Inutile de souligner que le succès de cette authentique cérémonie dépend pour une bonne part de l'habileté du maître ou de la maîtresse de céans à verser, de plus en plus haut, le précieux breuvage en longs jets fumants...

A défaut d'être invité dans une famille marocaine, vous pourrez évidemment vous faire servir du thé à la menthe dans un café, mais il y manquera le cachet de cette cérémonie traditionnelle et l'ambiance, chaleureuse au possible!

Tajine aux courgettes

(8 à 10 personnes)

2 kg. d'épaule de mouton, 2,5 kg. de courgettes, 4 oignons, 200 g. de beurre, 1 c.s. de thym (en poudre), 2 c.c. de safran, 2 c.c. de poivre, sel.

Découper la viande en morceaux et la faire revenir dans du beurre. Ajouter les oignons hachés menu, le safran et le poivre. Saler. Recouvrir d'eau, placer un couvercle sur la cocotte et laisser cuire à feu moyen.

Laver et détailler les courgettes en tronçons de 5 cm. environ. Les saler, poivrer et les saupoudrer de thym et de safran.

Dès que la viande est fondante, la retirer de la cocotte. Jeter les courgettes dans cette dernière en ayant soin de les couvrir d'eau jusqu'à la moitié de leur hauteur. Couvrir et faire bouillir quelques minutes; enlever le couvercle, réduire le feu et laisser mijoter tranquillement. Lorsque le légume est prêt, le réserver et réduire la sauce. Rectifier l'assaisonnement. Replacer courgettes et viande dans la cocotte sans les mélanger. Lorsque la *tajine* est bien chaude, la dresser sur un plat préalablement chauffé en prenant garde de superposer la viande aux courgettes. Napper de sauce et servir immédiatement.

Harira aux pois chiches

(8 à 10 personnes)

Première phase: le bouillon

300 gr. de mouton (ou de veau), 3 à 5 os, 250 gr. de pois chiches trempés la veille, 600 gr. de petits oignons entiers, 1 c.c. de safran, 1 $^{1}/_{2}$ c.c. de poivre, sel.

Couper la viande en dés et la mettre dans de l'eau froide sur feu vif. Ajouter les os, les oignons, le safran, le poivre et le sel. Amener à ébullition et écumer. Ajouter les pois chiches et réduire le feu. Retirer les petits oignons lorsqu'ils sont cuits afin de les conserver entiers. Quand la viande est prête, après une bonne heure de cuisson, retirer la marmite du feu. Laisser reposer le bouillon après y avoir rejeté les oignons.

Deuxième phase: la tédouira

2 kg. de purée de tomates, 250 gr. de farine, le jus de 6 citrons, 1 noix de beurre, 1 grosse poignée de coriandre, 1 bon bouquet de persil, 3 l. d'eau, sel.

Placer l'eau sur le feu et, lorsqu'elle bout, ajouter la purée de tomates et le beurre. Maintenir à ébullition pendant 15 minutes. Lui adjoindre le bouillon passé à l'étamine. Délayer la farine dans un peu d'eau et l'incorporer à la préparation en remuant bien, de façon à éviter la formation de grumeaux. Ajouter les éléments solides du bouillon. Lorsque la *tédouira* arrive à ébullition, faire tomber en pluie le persil haché et le coriandre pilé. Saler. Ajouter 1,5 l. d'eau environ, afin que la *tédouira* soit une soupe veloutée. Verser une poignée de riz cuit au préalable. La *tédouira* doit être servie bouillante.

BERLITZ-INFO

Comment y aller

PAR AIR

Au départ de la Belgique. Il existe de nombreux services réguliers partant de Bruxelles à destination de Casablanca, Agadir, Al Hoceima, Oujda, Tanger et Marrakech. Les vols sont directs ou ils transitent par Paris, Porto ou Casablanca.

Au départ du Canada. Chaque semaine, 2 vols relient Montréal à Casablanca *via* New York. On peut aussi transiter par Madrid, Amsterdam, Bruxelles ou Paris.

Au départ de la France. De Paris, les liaisons avec Casablanca, Agadir, Al Hoceima, Fès, Marrakech, Oujda, Rabat et Tanger sont nombreuses. La province est bien desservie, car il existe des lignes reliant Bordeaux, Lyon, Marseille, Nice, Strasbourg ou Toulouse à Casablanca, Fès, Oujda ou Marrakech.

Au départ de la Suisse. Depuis Genève, il y a un vol quotidien pour Casablanca, un vol hebdomadaire pour Marrakech et deux pour Agadir.

Au Maroc même. Voici les principales lignes intérieures: Casa–Agadir, Casa–Al Hoceima, Casa–Fès, Casa–Marrakech, Casa–Tanger.

Services Europe–Maroc. Les tarifs spéciaux sont nombreux - excursion, PEX, senior - mais leurs conditions varient d'un pays à l'autre. Renseignez-vous auprès d'une agence de voyage.

Services Canada–Maroc. Il existe des tarifs excursion, APEX et SUPERAPEX. Les jeunes de 12 à 22 ans bénéficient d'une réduction.

Des charters aux voyages organisés

Il existe de nombreuses possibilités depuis l'Europe et le Canada. Principales destinations: Casa, Agadir, Marrakech, Rabat, Tanger.

En matière de voyages organisés, diverses formules s'offrent à vous: voyage collectif accompagné, voyage sur mesure pour les individualistes, combinaison d'un circuit des villes impériales ou du Sud marocain avec un séjour balnéaire sur l'Atlantique ou la Méditerranée. Pour les touristes canadiens, signalons que le tour du Maroc est généralement inclus dans un circuit Portugal–Espagne–Maroc. Certaines compagnies aériennes organisent, à destination de Casablanca et des principales villes ou stations, des voyages *Fly-Drive.*

PAR ROUTE ou PAR FER jusqu'à Algésiras

Par route

Au départ de Bruxelles. Vous rejoindrez à Paris l'itinéraire suivant.

Au départ de Paris. Vous passerez par Bordeaux, Biarritz, Burgos, Madrid, Bailén, Cordoue, Málaga.

Au départ de Genève. Vous gagnerez Valence, Nîmes, Narbonne, Perpignan, Barcelone, Valencia, Murcie, Almería, Motril, Málaga.

Par fer

Au départ de Bruxelles. Le plus simple est de gagner Paris.

Au départ de Paris. Un train direct achemine des voitures-couchettes Paris–Irún–Algésiras.

Au départ de Genève. Le mieux est de gagner Port-Bou, puis de là Madrid (changement) et Algésiras. Depuis Port-Bou, vous avez des voitures directes (places couchées) à destination d'Algésiras.

Trains Autos-Couchettes. Mentionnons les lignes Paris–Madrid, Madrid–Algésiras, Madrid–Cadix; Bruxelles–Toulouse; Bruxelles–Biarritz; Barcelone–Málaga; Barcelone–Séville.

PAR MER

Tous les bateaux assurent le transbordement des autos. Il est prudent de réserver longtemps à l'avance en été.

Au départ de la France. Il existe une ligne Sète–Tanger (en 38 heures).

Traversée du détroit de Gibraltar. Les personnes voyageant par le train ou en voiture ont le choix entre deux lignes: Algésiras–Tanger et Algésiras–Ceuta.

Quand y aller

Le climat du Maroc, pays de soleil, présente cependant quelques variations qui valent d'être notées, surtout si l'on projette de voyager à l'intérieur du pays. De mai à octobre, la pluie n'est pas exceptionnelle. A la saison sèche (juin à septembre), s'il fait chaud et humide sur la côte, à l'intérieur la chaleur peut être suffocante. Enfin, même à la belle saison, les nuits sont fraîches.

Ce tableau donne quelques températures moyennes de l'air et de l'eau:

Tanger		J	F	M	A	M	J	J	A	S	O	N	D
Air	°C	15	16	17	19	21	24	26	27	25	22	18	16
Eau	°C	17	17	17	18	20	20	22	23	22	22	20	18

Agadir		J	F	M	A	M	J	J	A	S	O	N	D
Air	°C	20	21	23	23	24	26	27	27	27	26	24	21
Eau	°C	17	17	18	18	19	19	22	22	22	22	21	18

Pour équilibrer votre budget...

Pour vous permettre de vous faire une idée du coût de la vie au Maroc, voici quelques exemples de prix moyens en *dirhams (DH)*. Ces prix n'ont qu'une valeur indicative en raison d'une inflation constante.

Aéroports (transport au sol). De l'aéroport de Casablanca au centre-ville: autobus 20 DH, taxi 150 DH. (Les autres aéroports ne sont pas desservis par des bus réguliers, mais les taxis sont légèrement moins chers qu'à Casablanca.)

Autocars et autobus. De Rabat à Casablanca 16 DH, traversée d'une des principales villes en bus 2 DH.

Camping. Adultes 5 DH par jour, enfant 3 DH, tente/voiture 5 DH chacune, caravane 8 DH.

Coiffeurs. *Dames:* coupe, shampooing et mise en plis 225 DH, shampooing et brushing 150 DH, permanente 200 DH. *Messieurs:* coupe 20 DH.

Distractions. Night-club (entrée et première consommation) 100 DH, discothèque (idem) 100 DH, cinéma 7–20 DH.

Guides. 35 DH la demi-journée, 80 DH la journée entière.

Hôtels (chambre à deux lits avec bains ou douche et toilettes. ***** à partir de 616 DH, **** A 325 DH, **** B 265 DH, *** A 193 DH, *** B 169 DH, ** A 125 DH, ** B 102 DH, * A 89 DH. 2–10 DH de taxes par nuit en sus, suivant la catégorie.

Location de voitures (agences internationales). *Renault 4* 175 DH par jour, 1.90 DH du kilomètre, 2426 DH par semaine avec kilométrage illimité. *Peugeot 205* 225 DH par jour, 2.65 DH du kilomètre, 3381 DH par semaine avec kilométrage illimité. *Renault 18* 300 DH par jour, 3.40 DH du kilomètre, 5145 DH par semaine avec kilométrage illimité. 19% de taxes en sus.

Repas et boissons (dans un établissement de style européen ou un bar). Café complet 55 DH, déjeuner 150 DH, dîner 150 DH (prix moyen pour un repas complet, boissons comprises, dans un bon restaurant), café 6 DH, thé à la menthe 6 DH, boissons sans alcool 10 DH, bière (locale, petite bouteille) 25 DH.

Taxis. Prise en charge environ 8 DH, 0.80 DH du kilomètre.

Trains (aller simple en 1re cl.). De Rabat à: Meknès 60.50 DH, à Marrakech 123.50 DH, à Fès 70 DH, à Tanger 92.50 DH. Seconde classe: environ 30% meilleur marché.

Informations pratiques classées de A à Z pour un voyage agréable

Une étoile (*) accolée à un titre de rubrique – ou à un mot important à l'intérieur d'une rubrique – renvoie, pour une indication de prix, à la section POUR ÉQUILIBRER VOTRE BUDGET (p. 104).

On trouvera d'autre part à la rubrique LANGUE (p. 118) quelques expressions en arabe.

A

AEROPORTS*. Les aéroports marocains sont modernes, fonctionnels et agréables. Vous y trouverez restaurant et bar, bureaux de change, d'informations touristiques et de location de voitures. Si les petites boutiques hors-taxes ne présentent pas grand intérêt, les achats en vol vous feront réaliser de substantielles économies en dépit d'un choix limité.

Il existe des liaisons aériennes entre El Ayoun, Agadir, Marrakech, Casablanca, Rabat, Fès, Tanger, Oujda, Al Hoceima et Ouarazate. Mais, dans certains cas, il vaut mieux emprunter un moyen de transport terrestre, comme entre Rabat et Casablanca.

De Casablanca-Mohammed V, le bus est le moyen de transport le moins cher pour rallier la gare routière du centre-ville. Il y a un départ toutes les demi-heures; le trajet prend ¾ d'heure à une heure.

ALPHABET. Voir aussi LANGUE. L'alphabet arabe comporte 28 caractères, chacun pouvant prendre trois formes différentes selon qu'il se situe au début, au milieu ou à la fin d'un mot. Pour quelques jours de vacances, il n'est pas utile de vous plonger dans l'étude de la langue arabe: tous les écriteaux, avis, etc. sont en deux langues, français et arabe, au Maroc.

AMBASSADES et CONSULATS

Belgique (ambassade): 6, avenue de Marrakech, Rabat, tél. 647 46.

Consulat: 13, boulevard Rachidi, Casablanca, tél. 22 32 10, 22 30 49, 22 29 04.
Impasse d'Amman, Agadir, tél. 225 43.
124, Boulevard Sidi Ben Abdallah, Tanger, tél. 363 13.

Canada (ambassade et consulat): 13 bis, rue Jaafar As-Sadik, Rabat (Agdal), tél. 713 75.

France (ambassade): 3, rue Shanoun, Rabat, tél. 778 22.
Consulats: 49, Charia Allal Ben Abdallah, Rabat, tél. 248 24.
(Consulat général) 2, place de France, Tanger, tél. 320 39.
(Consulat général) Avenue Abou Obeida Ibn Jarrah, Fès, tél. 255 47.

Suisse (ambassade): Square de Berkane, Rabat, tél. 669 74 et 675 12.
Consulat: 79, avenue Hassan II, Casablanca, tél. 26 02 11.

ANIMAUX FAMILIERS. Au Maroc, on laisse entrer les chats et les chiens munis d'un certificat de santé établi par un vétérinaire de votre pays. Les ennuis commenceront au retour: certains pays exigent un certificat de vaccination antirabique ou même, comme le Canada, se réservent le droit d'imposer une quarantaine à votre animal.

ARGENT

Monnaie: L'unité monétaire marocaine est le *dirham* (en abrégé *DH*), divisé en 100 *centimes.*
Pièces: 5, 10, 20, 50 centimes, 1 et 5 dirhams.
Billets: 5, 10, 50 et 100 dirhams.

A noter que bien des commerçants disent encore «francs» pour «centimes». – En ce qui concerne le contrôle des changes, voir FORMALITÉS D'ENTRÉE ET DOUANE.

Horaires des banques: Si ces horaires varient un peu selon les localités, voici ceux qui sont en général observés:

En été: De 8 h. 15 à 11 h. 30 et de 14 h. 15 à 16 h. du lundi au jeudi, de 8 h. 15 à 11 h. 30 et de 15 h. 15 à 17 h. le vendredi. *En hiver:* De 8 h. 30 à 11 h. 30 et de 14 h. 30 à 16 h. 30 du lundi au vendredi. Par ailleurs, les banques suivent des horaires spéciaux pendant le Ramadan.

Les grands hôtels et les agences de voyages sont également autorisés à changer les devises. En cas d'urgence, rendez-vous au bureau de change de l'aéroport le plus proche: ce bureau est ouvert de l'heure du premier à l'heure du dernier vol international (tous les jours).

Cartes de crédit et chèques de voyage: Les chèques de voyage sont immédiatement honorés dans les banques où ils vous assurent le meilleur cours possible. Certaines boutiques et compagnies aériennes les acceptent aussi. Les cartes de crédit peuvent être utilisées dans les grands hôtels et les restaurants les plus réputés, mais nous vous conseillons de toujours vous assurer que l'on acceptera votre carte ou vos chèques. Les **Eurocheques,** eux, sont honorés par diverses banques, dans les principales villes.

N'oubliez pas de vous munir de votre passeport si vous avez l'intention d'utiliser une carte de crédit, de changer des devises ou de payer avec des chèques de voyage. Gardez les reçus, pour le cas où vous auriez des dirhams en excédent à changer en ressortant du pays.

AUBERGES DE JEUNESSE. Ces établissements sont très rudimentaires – même pour des auberges de jeunesse –, mais extrêmement bon marché. Pour un ou deux dirhams de plus, vous bénéficierez de conditions de logement un peu plus convenables dans un hôtel à une étoile.

A

AUTOCARS*. Le plus grand réseau d'autocars est géré par la C.T.M.–L.N. (Compagnie de Transports Marocains–Lignes Nationales), qui a une gare routière dans chaque ville. Certaines des lignes les plus importantes sont desservies par des autocars climatisés équipés de vidéos. Les autocars régionaux sont rarement des modèles dernier cri, mais on peut encore leur faire confiance, et les horaires sont à peu près respectés. Dans le Sud, la S.A.T.A.S. (Société Anonyme des Transports Automobiles du Sous) prend le relais de la C.T.M. Il est préférable d'acheter son billet un jour à l'avance et de se présenter à la gare routière au moins un quart d'heure avant le départ.

AUTO-STOP. Les Marocains sont plus nombreux que les étrangers à faire de l'auto-stop, et, si vous avez de la place, les gens du pays apprécieront que vous vous arrêtiez.

Les étrangers, eux, trouvent les autobus si bon marché qu'ils ont rarement recours à l'auto-stop.

B

BLANCHISSAGE et NETTOYAGE A SEC. L'hôtel peut s'en charger même si vous êtes descendu dans un modeste établissement à une étoile. Le blanchissage se fait en vingt-quatre heures environ, mais le nettoyage à sec peut prendre de deux à quatre jours.

C

CAMPING*. Le Maroc est bien équipé en terrains de camping accueillant tentes et caravanes. La plupart comportent des douches, l'électricité, et vous y trouverez des rafraîchissements. L'Office National Marocain du Tourisme vous fournira une liste détaillée de ces terrains.

Deux mots encore: évitez de planter votre tente en des lieux écartés ou sur un terrain non officiel (au besoin, consultez la police locale). Au surplus, tâchez de mettre argent et objets de valeur en lieu sûr.

CARTES ROUTIERES et PLANS. L'Office National Marocain du Tourisme distribue des brochures (gratuites) qui contiennent des cartes générales du pays, donc peu détaillées. Vous trouverez plusieurs bonnes cartes routières chez les marchands de journaux et dans les librairies. Vous pourrez y acheter aussi des plans de villes et des plans détaillés, et plus coûteux (avec un index des rues), de Casablanca, Rabat et Marrakech.

CIGARETTES, CIGARES, TABAC. On trouve les grandes marques de cigarettes américaines, anglaises et françaises dans tous les bureaux de tabac, et les prix sont équivalents aux prix européens. Les marques marocaines sont beaucoup moins chères que les marques d'importation. Pas de problème non plus pour vous procurer n'importe quelle sorte de cigares, y compris des havanes. Quant au tabac pour la pipe, vous en trouverez moins facilement: aussi, si vous êtes attaché à une marque, faites-en provision avant le départ (voir FORMALITÉS D'ENTRÉE ET DOUANE).

COIFFEURS*. Vous verrez toutes sortes de «salons», depuis les luxueuses installations des grands hôtels... jusqu'à la chaise pliante placée sous un plastique, dans la *médina.* A moins que vous ne désiriez une coupe ultra-courte (et bon marché, il est vrai), mieux vaut aller dans les salons des hôtels. Ce que vous paierez va au patron, aussi devriez-vous laisser un pourboire (normalement de 10 à 15%) à la personne qui s'est occupée de vous.

CONDUIRE AU MAROC

A l'entrée au Maroc, il vous sera demandé:

- un permis de conduire (national ou international);
- le permis de circulation («carte grise») du véhicule;

- la carte verte (il est cependant possible de souscrire, à l'entrée dans le pays, une police d'assurance marocaine);
- un carnet (triptyque) pour votre caravane; consultez votre automobile-club. Il arrive qu'on rencontre certaines difficultés en entrant en ce pays par Ceuta ou Tanger; aussi, informez-vous, avant votre départ, auprès de l'ambassade du Maroc dans votre pays.

Conditions de circulation: Le code de la route est presque identique au code français et très proche de ceux des divers pays d'Europe.

Le Maroc possède peut-être le meilleur réseau routier – et le plus étendu – de l'Afrique du Nord. La circulation, sauf sur certains tronçons, n'est d'ailleurs pas intense. Ajoutons que l'autoroute Casablanca–Rabat est maintenant en service.

Vous trouverez également de nombreuses routes non asphaltées et pistes dans les montagnes et dans le désert. En montagne, pendant la saison des pluies (de novembre à fin avril, avec une certaine rémission en janvier–février), les pistes ne sont guère carrossables, et il arrive que des gués soient infranchissables. De décembre à mai, il se peut aussi que des routes soient obstruées par la neige.

Souvenez-vous que les villageois apprécient mal la vitesse des voitures: alors, ralentissez si quelqu'un s'apprête à traverser la chaussée. Les routes sont étroites (deux voies seulement), et c'est une gageure de doubler les poids lourds et même les mobylettes; enfin, à cause des piétons, des animaux et des véhicules sans éclairage, évitez de conduire la nuit.

Police de la route: Les agents de la Sûreté nationale patrouillent le long des grandes routes pour sanctionner les infractions et aider les automobilistes en panne. Vous serez sûrement arrêté une fois ou l'autre par un barrage où un policier à moto vous demandera vos papiers et ceux de la voiture.

Essence et huile: Les stations-service sont pour la plupart groupées dans les villes; aussi, mieux vaut faire le plein avant de prendre la route.

Pannes: Les grandes villes possèdent de bons garages où l'on connaît bien les voitures françaises. On n'a pas non plus de gros problèmes pour se procurer les pièces nécessaires aux véhicules d'autres marques européennes.

Stationnement: Le «gardien» qui vous aura aidé à vous garer – ou à repartir – s'attend à recevoir un pourboire. Sa sollicitude ne vous assure cependant pas que votre voiture soit en stationnement régulier, et vous risquez de la retrouver à la fourrière, si vous n'avez pas fait attention aux panneaux!

Signalisation routière: Elle se présente à la fois en arabe et en français; la plupart des symboles figurant sur les panneaux sont les mêmes qu'en Europe.

COURANT ELECTRIQUE. Le 110 et le 220 volts coexistent partout: vérifiez toujours le voltage au préalable. Les prises sont du type français. Il y a souvent des sautes de tension, et il vaut mieux débrancher vos appareils quand vous ne les utilisez pas.

DECALAGE HORAIRE. Le Maroc vit à l'heure GMT, sauf certaines années où les Marocains avancent leur montre d'une heure, comme les Européens. Le tableau ci-après montre le décalage en janvier entre l'heure marocaine et celle de quelques villes, dans d'autres pays francophones.

D

Montréal	**Maroc**	Paris	Bruxelles	Genève
7 h.	**midi**	13 h.	13 h.	13 h.

DROGUE. Le Maroc était autrefois la patrie du haschisch et du *kif.* Cela étant, la police traque et les drogués et les trafiquants. En outre, la justice a la main lourde...

E

EAU. L'eau du robinet est généralement saine au Maroc, et en fait, c'est cette eau que l'on vous servira (gratuitement) dans les restaurants les plus modestes. Cependant, l'eau minérale en bouteille est souvent mieux supportée par les estomacs délicats. En tout cas, elle est meilleure au goût et pour la santé. Vous pourrez toujours en demander dans les restaurants, les cafés et les hôtels. *Sidi Harazem, Sidi Ali* (eau plate) et *Oulmès* (eau gazeuse) sont les marques les plus courantes.

ENFANTS. Vous serez émerveillé par les enfants marocains, même s'ils vous harcèlent en vous proposant, qui de vous guider, qui de garder votre voiture, etc.

Les Marocains adorent les enfants; n'ayez donc aucune crainte si vous perdez le vôtre dans un *souk:* revenez sur vos pas et vous le retrouverez choyé par un passant ou par un boutiquier. S'il a vraiment disparu, alertez la police, naturellement.

Le réceptionnaire de votre hôtel – si vous vous y prenez assez tôt – vous trouvera une **garde d'enfants.** Les tarifs des hôtels étant ce qu'ils sont, vous ferez peut-être des économies en vous adressant directement à un membre du personnel.

FORMALITES D'ENTREE et DOUANE. Voir aussi CONDUIRE AU MAROC.

Pour entrer au Maroc, les citoyens français et suisses ont besoin, de même que les ressortissants canadiens, d'un passeport en cours de validité. Quant aux Belges et aux Luxembourgeois, ils doivent présenter un passeport valide ainsi qu'un visa.

Le tableau ci-dessous indique les principaux produits que vous êtes autorisé à introduire au Maroc, puis dans votre propre pays à votre retour, tout en bénéficiant de la franchise douanière:

Entrée au/en:	Cigarettes		Cigares		Tabac	Liqueurs		Vin
Maroc	200	ou	50	ou	400 g.	1 l.	et	1 l.
Belgique	200	ou	50	ou	250 g.	1 l.	et	2 l.
Canada	200	et	50	et	900 g.	1,1 l.	ou	1,1 l.
France	200	ou	50	ou	250 g.	1 l.	et	2 l.
Suisse	200	ou	50	ou	250 g.	1 l.	et	2 l.

Contrôle des changes: L'importation et l'exportation de dirhams est interdite. Vous pouvez importer ou exporter autant de devises étrangères que vous le voulez (il faut, toutefois, déclarer à l'arrivée les sommes supérieures à l'équivalent de 15 000 DH pour pouvoir les ressortir du pays).

Si vous restez plus de quarante-huit heures, vous serez autorisé à ressortir 50% des sommes changées en arrivant, et 100% pour un séjour de moins de quarante-huit heures. Pour être tranquille, ne changez pas tout votre argent en une fois, mais au fur et à mesure de vos besoins.

F

Gardez vos reçus de change: en repartant, changer vos dirhams à l'aéroport ou à la douane ne posera aucun problème, mais ne sera cependant possible que si vous présentez lesdits reçus.

G

GUIDES et INTERPRETES*. Tous les guides officiels doivent être agréés par l'Office National Marocain du Tourisme et être porteurs d'un insigne officiel ainsi que d'une carte professionnelle. Le Syndicat d'initiative - ou le bureau local de l'Office du Tourisme - pourra vous procurer un guide parlant le français. Souvent, plusieurs attendent dans le bureau même du Syndicat d'initiative d'être embauchés.

Si vous avez besoin d'un interprète, adressez-vous également au Syndicat d'initiative. Voir aussi LANGUE.

H

HABILLEMENT. Prenez une veste ou un pull – même en été – pour vous garantir contre le vent frais qui se lève le soir. Un imperméable ne sera pas inutile de la mi-novembre à la mi-mars. En plein été, vous n'aurez besoin que de vêtements légers et d'un chapeau pour vous protéger du soleil.

Bien que les occasions de porter une tenue de soirée soient assez rares, les dîners sont assez habillés dans certains grands hôtels.

HEURES D'OUVERTURE. Voir aussi ARGENT et POSTES ET TÉLÉCOMMUNICATIONS. Les heures de visite des monuments et des musées sont très variables et irrégulières. Il vaut donc mieux les vérifier sur place. En voici pourtant certaines concernant les lieux mentionnés dans ce guide:

Fès

Bordj Nord: de 8 h. 30 à 12 h. et de 14 h. 30 à 18 h. (de 16 h. à 18 h. le vendredi), tous les jours sauf le mardi.

Marrakech

Palais de la Bahia, Dar Si Saïd et tombeaux saadiens: de 8 h. 30 à 12 h. 30 et de 14 h. 30 à 18 h. 30, tous les jours sauf le mardi.

Meknès

Koubbet el Khiyatîn et médersa Bou Inania: de 9 h. à 12 h. et de 15 h. à 18 h. 30.

Tombeau de Moulay Ismaïl: horaires indéterminés.

Rabat

Mausolée de Mohammed V: de 8 h. à 21 h., tous les jours.

Musée des Oudaïa: de 8 h. 30 à 12 h. et de 16 h. à 18 h. 30, tous les jours sauf le mardi.

Musée archéologique: de 8 h. 30 à 12 h. et de 14 h. à 19 h. (de 14 h. à 18 h. en hiver), tous les jours sauf le mardi.

Tanger

Dar el Makhzen, musée des Arts marocains et musée des Antiquités: de 8 h. 30 à 12 h. 15 et de 14 h. 30 à 17 h. 45, fermés le dimanche et les jours fériés.

HOTELS et LOGEMENT*. Voir aussi AUBERGES DE JEUNESSE et CAMPING. Les hôtels sont classés par le gouvernement, et leurs prix sont contrôlés, sauf dans le cas des hôtels de grand luxe.

Les établissements les plus cotés sont ceux «de luxe» avec cinq étoiles. Ceux de une à quatre étoiles sont divi-

H

sés en deux catégories: A et B. Les hôtels trois, quatre ou cinq étoiles sont souvent pleins au printemps, en été et en automne, et vous devrez réserver assez longtemps à l'avance. Même dans ce cas, arrivez suffisamment tôt pour occuper votre chambre, sinon la direction de l'hôtel risque de vous «oublier». (Le mieux, en l'occurrence, serait d'avoir sur vous la confirmation officielle de vos réservations.) Si les hôtels une ou deux étoiles sont moins chargés, nous vous conseillons tout de même d'arriver assez tôt le soir pour être sûr de trouver une chambre.

Les tarifs de la page 104 (comptez 20% en moins pour une chambre individuelle) ne comprennent pas les repas. Si, pour des raisons pratiques, vous choisissez de prendre vos repas à l'hôtel, sachez que les prix du petit déjeuner et du menu touristique sont également fixés par le gouvernement en fonction de la catégorie de l'hôtel. Tous ces prix doivent être affichés dans les chambres.

J

JOURNAUX et MAGAZINES. Dans les grandes villes, les hôtels, les kiosques à journaux et quelques librairies vendent les journaux français de la veille (ou... de l'avant-veille), ainsi que plusieurs publications marocaines d'expression française.

JOURS FERIES. Les grandes fêtes religieuses sont fixées selon le calendrier islamique (lunaire), ce qui veut dire que le même jour de fête arrive onze jours plus tôt chaque année, si l'on prend notre calendrier comme point de référence.

L'année commence avec le mois de Moharrem, et le *1er Moharrem* (Jour de l'An musulman) est férié. Le 10e jour de Moharrem, *Achoura*, on célèbre la nouvelle année par des festivités et de copieux repas. Ensuite vient le *Mouloud,* ou jour anniversaire de la naissance du Prophète: les réjouissances durent deux jours et les magasins restent fermés.

Pendant le *Ramadan,* tout le monde est censé jeûner du lever du soleil au crépuscule; dès le coucher du soleil, on peut manger tout ce que l'on veut. Les horaires des bureaux et des magasins sont modifiés durant le mois du Ramadan. (Quelques cafés et restaurants restent cependant ouverts pour servir les non-musulmans.) Pour célébrer la fin du Ramadan, l'*Aïd el-Fitr* ou *Aïd es-Séghir,* la «petite fête», est une période de deux jours de réjouissances et de festins.

Quant à l'*Aïd el-Adha,* connu également sous le nom d'*Aïd el-Kébir,* autrement dit la «grande fête», il commémore le sacrifice d'Abraham. Précisons que les festivités durent, là encore, deux jours, pendant lesquels les commerces et les administrations restent fermés.

Les dates de ces fêtes importantes vous seront communiquées par les Offices du Tourisme, ou bien par la réception de votre hôtel.

Autres fêtes importantes: la *Fête du Trône* (anniversaire de l'intronisation de Hassan II), le 3 mars; la *Fête de la Jeunesse,* le 9 juillet; le 6 novembre commémore la récupération des territoires du Sahara; enfin, le 18 novembre, on commémore le triomphal retour d'exil de Mohammed V.

LANGUE. Voir aussi ALPHABET et l'encadré de la page 20. L'arabe est la langue officielle du Maroc, mais le français est très répandu: dans les grandes villes, tout le monde en connaît au moins des rudiments. Dans le Nord, vers Tanger et Tétouan (jadis sous contrôle de l'Espagne), l'espagnol est plus parlé que le français. Partout ailleurs, le français sera amplement suffisant pour vous faire comprendre.

Si le français est la langue étrangère la plus connue, il se peut que, dans les campagnes, vous rencontriez des gens qui ne parlent que l'arabe ou le berbère. Dans ce cas, savoir quelques mots d'arabe vous rendra service... et sera grandement apprécié.

Bonjour	**S'báh 'l khéyr**
Bonsoir	**Msá 'l khéyr**
Bonne nuit	**Tas'báh alláh**
S'il vous plaît	**Min fádlak, áfak**
Merci	**Bárakallahúfik, shókran**
Je vous en prie	**Mrába**
Au revoir	**Beslémeh**

LOCATION DE MOTOCYCLETTES. A Marrakech et à Tanger, vous pouvez louer une moto, petite ou grosse, à l'heure, à la journée ou à la semaine. Les tarifs équivalent à peu près à ceux de location d'une petite voiture. Vous devrez être en possession d'un permis moto en règle.

LOCATION DE VOITURES*. Voir aussi CONDUIRE AU MAROC. Les grandes compagnies internationales, ainsi que de nombreuses agences locales, sont à votre disposition. Pour être sûr de trouver la voiture que vous voulez au moment voulu, réservez-la avant de partir par l'intermédiaire de votre agence.

Calculez bien vos besoins réels, car louer une voiture – si l'on compte le prix de la location, le kilométrage, les assurances, le carburant, le forfait de livraison ou de retour et la taxe (voir p. 104) – risque de vous revenir cher, sans parler du substantiel dépôt de garantie, obligatoire si vous ne possédez pas une carte de crédit reconnue par l'agence à laquelle vous vous êtes adressé.

Il n'est pas besoin de souligner, aussi, que tous les véhicules ne sont pas conçus pour emprunter des pistes!

Vous devez être en possession du permis de conduire depuis plus d'un an et être âgé de plus de 21 ans (plus de 25 ans pour un modèle de luxe).

L

MARCHANDAGE. Quelques magasins de luxe vendent à prix fixes. Dans les *médinas,* le prix de certains articles est indiqué, mais le vendeur sera souvent prêt à discuter. Entrez dans plusieurs boutiques pour comparer les prix avant de commencer à marchander sérieusement, et, si vous êtes plein d'énergie, vous finirez probablement par obtenir un rabais considérable.

M

OBJETS TROUVES. On peut généralement faire confiance au personnel des hôtels, des restaurants et des cafés pour déposer à la caisse le livre, le chapeau ou le sac à main oublié. Dès que vous vous apercevez que vous avez perdu quelque chose, faites le tour des endroits que vous avez visités. Pour les autobus et les trains, adressez-vous à un employé de la compagnie; il y a toujours un service chargé de la recherche des objets égarés.

O

OFFICES DU TOURISME. L'Office National Marocain du Tourisme a ouvert des représentations dans plusieurs pays étrangers, ainsi que dans les principaux centres touristiques du Maroc. Sur place, il est également possible de s'adresser aux Syndicats d'initiative. Voici, à cet égard, quelques adresses utiles.

Syndicats d'initiative:

Agadir: avenue du Prince Héritier Sidi Mohammed, immeuble A, Boîte Postale 178, tél. 228 94.

Casablanca: 55, rue Omar Slaoui, tél. 27 11 77.

O

Fès: place de la Résistance, immeuble Bennani, tél. 234 60.
Marrakech: place Abdel-Moumen Ben Ali, tél. 303 14.
Meknès: place Administrative, tél. 212 86.
Oujda: place du 16 Août, Boîte Postale 424, tél. 43 29.
Rabat: 22, rue d'Alger, Boîte Postale 19, tél. 212 52.
Tanger: 29, boulevard Pasteur, tél. 313 82 39.

Représentations de l'O.N.M.T. à l'étranger:

Belgique: 66, rue du Marché-aux-Herbes, 1000 Bruxelles, tél. 512 21 82 et 512 12 86.

Canada: 2001, rue Université, Suite 1460, Montréal – P.Q. H3A 2A6, tél. (514) 842 81 11/2.

France: 161, rue Saint-Honoré, 75001 Paris, tél. 42 60 63 50, 42 60 47 24 et 42 60 64 78.

Suisse: Schiffländе 5, 8001 Zurich, tél. (01) 252 77 52.

OFFICES RELIGIEUX. Si la religion du Maroc est l'islam, l'influence française et espagnole explique qu'il y ait au moins une église catholique dans chaque ville. Il existe par ailleurs des temples, ainsi que des synagogues, à Agadir, à Casablanca, à Rabat, à Fès, à Marrakech, etc.

P

PHOTOGRAPHIE. On trouve des magasins spécialisés bien approvisionnés (et qui peuvent même se charger de petites réparations) dans les grandes villes. Bien que vous puissiez leur confier vos travaux en noir et blanc ou en couleurs, vous éviterez retards et déceptions en attendant votre retour pour les faire développer. Le prix des films étant prohibitif, au Maroc, assurez-vous que le rouleau qu'on vous proposera n'aura pas été stocké à la chaleur, voire au soleil! Vous auriez intérêt, aussi, à contrôler si le délai de développement n'est pas échu.

POLICE. La police locale collabore étroitement avec les forces de la Sûreté nationale. Les policiers marocains sont courtois et serviables. Dans certaines grandes villes, on peut joindre police-secours en composant le 19.

Le Maroc ne connaît qu'un petit nombre de délits et de vols. Cependant, dans chaque pays sévissent les voleurs à la tire et ceux qui ne résistent pas à la tentation de briser une vitre de voiture en voyant un appareil photographique ou un sac à main sur un siège. Pour le reste, les précautions habituelles suffiront. Confiez tout objet de valeur au réceptionnaire de votre hôtel, qui le déposera en lieu sûr. Et soyez sur vos gardes dans les *médinas!*

POSTES et TELECOMMUNICATIONS. La poste centrale de chaque ville rassemble tous les services que vous en attendez, y compris la poste restante, le télégraphe et le téléphone.

Horaires: De 8 h. à 18 h. 30 du lundi au jeudi (fermeture entre 12 h. et 14 h. 30 dans les petites localités); de 8 h. à 12 h. et de 16 h. à 18 h. 30 le vendredi. Les grandes postes ont une permanence ouverte tous les jours, vingt-quatre heures sur vingt-quatre (dans les petites villes comme Agadir, cette permanence ferme à 21 h.). On peut y téléphoner, télégraphier et acheter des timbres. Il est également possible d'acheter des timbres dans les tabacs.

Poste restante: Pour un court séjour, il vaut mieux ne pas trop se fier au courrier, les retards étant fréquents et imprévisibles. En cas d'urgence, un télégramme ou un coup de téléphone sera plus sûr. Lors de séjours plus longs, faites adresser votre courrier à votre hôtel ou en poste restante, l'enveloppe étant ainsi libellée:

Nom
Poste restante
Ville
Maroc

P

C'est à la poste centrale ou principale que vous irez retirer votre courrier en poste restante. Munissez-vous de votre passeport et préparez-vous à payer une petite taxe pour chaque lettre retirée.

Téléphone: Il a la réputation d'être un peu fantaisiste: un appel international passera immédiatement ou vous prendra plusieurs heures. Pensez-y même si vous n'avez pas de problèmes habituellement.

Au Maroc, le téléphone est entièrement automatisé. On peut également téléphoner en automatique dans la plupart des pays d'Europe. A moins que vous n'appeliez en PCV, c'est le téléphoniste de votre hôtel ou de la poste qui se chargera de l'appel.

Il existe des cabines téléphoniques dans les cafés et dans les lieux publics tels que les gares ferroviaires et routières.

Vous composerez: le 10 pour l'opératrice;
le 16 pour les renseignements;
le 14 pour les télégrammes;
le 12 pour les appels internationaux.

R

RADIO et TELEVISION. Les stations marocaines de radio et de télévision diffusent des émissions à la fois en arabe et en français. Le Maroc étant très proche de l'Espagne et de Gibraltar, vous entendrez souvent à la radio des programmes en espagnol et en anglais. On reçoit aussi, dans de plus ou moins bonnes conditions, les principales stations de radio européennes.

RECLAMATIONS. Les Marocains sont d'ordinaire très accommodants quand il s'agit d'aplanir un quiproquo en matière de service ou de prix, mais si vous avez des ennuis, adressez-vous au directeur de l'établissement. S'il est introuvable ou ne se montre d'aucun secours, un agent de police servira souvent d'arbitre impartial.

En règle générale, pour éviter toute équivoque, convenez du prix à l'avance, que ce soit pour une promenade en calèche, pour l'achat d'un tapis ou pour les services d'un guide. (Les guides agréés appliquent un tarif officiel qu'ils ne doivent pas dépasser.)

Les guides, les hôtels et les restaurants sont tenus par la loi de tenir un livre de réclamations à la disposition de leurs clients. Si vous n'êtes pas satisfait d'un service ou d'un prix, consignez vos remarques dans ce registre qui est vérifié régulièrement par des inspecteurs gouvernementaux.

RENCONTRES. Le Maroc se compose de deux sociétés différentes; les Marocains lettrés modernes sont souvent bilingues (français-arabe), et ils se montrent très au courant des coutumes et des mœurs européennes; les Marocains traditionnels, dans les campagnes, ne parlent que l'arabe ou le berbère et ils obéissent aux règles ancestrales de l'islam.

Par nature, ils sont extrêmement hospitaliers et ils aiment entretenir des relations cordiales et ouvertes avec leurs visiteurs. Ils ne s'attendent pas à ce que vous connaissiez l'arabe et vous accueilleront en français (ou en espagnol). Si vous hasardez quelque salut en arabe, ils seront absolument enthousiasmés (voir LANGUE).

Il est d'usage de se serrer la main à chaque rencontre. La tradition veut même qu'avant ce geste le Marocain place brièvement sa main droite (celle que serrera la vôtre) sur son cœur.

SIESTE. L'habitude agréable et très sensée qu'on observe dans les pays chauds – celle de la sieste – est au

S

Maroc largement respectée, et le pays entier semble assoupi de midi à 14 h. 30 en semaine. A part les cafés, tout ferme.

SOINS MEDICAUX. Voir aussi URGENCES. Si votre assurance maladie ne prend pas en charge les frais médicaux à l'étranger, pensez à souscrire une assurance complémentaire ou spéciale, valable pour la durée de votre séjour.

Les villes marocaines comptent toujours au moins un hôpital, et tous les médecins parlent français. Les ambassades, les consulats et les grands hôtels sauront à quel établissement (hôpital, clinique) ou à quel médecin vous adresser.

Les pharmacies, nombreuses dans les villes et même dans les villages, sont ouvertes aux mêmes heures que les autres commerces. En dehors de ces heures, demandez à votre hôtel où se trouve la pharmacie de service ou celle de nuit. Si vous suivez un traitement, emportez vos médicaments.

Le niveau d'hygiène est tout à fait correct dans les bons hôtels et restaurants. Quand un touriste tombe malade, c'est souvent pour avoir dépassé certaines limites, s'exposant exagérément au soleil, surtout les premiers jours, abusant de certains mets «exotiques» et marchant beaucoup trop.

Si l'eau est bonne en général (voir EAU), il serait prudent de lui préférer l'eau minérale.

Il est enfin recommandé de se faire vacciner à temps contre la polio, le typhus, le tétanos, la globuline *gamma*.

T

TAXIS*. Il en existe de deux types au Maroc: de petites voitures avec une galerie sur le toit, portant l'inscription «petit taxi», et de plus grosses, souvent américaines (la couleur des taxis varie selon la ville). Les «petits taxis» sont bon marché et la plupart d'entre eux ont un compteur. Ces véhicules ne doivent pas, en principe, prendre de passagers pour de longues courses hors des limites urbaines. Les «grands taxis», eux, sont un peu plus chers et leurs parcours ne sont pas limités. A l'intérieur des villes, les tarifs sont calculés au compteur. Pour une destination plus lointaine, convenez du tarif avec le chauffeur avant de monter en voiture.

Tous les taxis coûtent 50% plus cher entre 20 h. et 6 h. du matin.

Il est d'usage de donner un petit pourboire au chauffeur: arrondir la somme demandée est généralement suffisant.

TOILETTES. Si vous avez des toilettes dans votre chambre, elles seront en général propres et assez bien entretenues. En revanche, les rares toilettes publiques (sauf dans les grands hôtels, les aéroports et les cafés) peuvent laisser à désirer. En consommant un café ou une tasse de thé à la menthe, vous avez le droit d'utiliser les commodités de l'endroit. Bien que les toilettes des hôtels soient en principe réservées aux clients et à leurs invités, personne ne vous en interdira l'accès s'il y a urgence! Vous devrez parfois donner quelques centimes à la personne chargée de l'entretien.

TRAINS*. Les trains de l'Office National des Chemins de Fer du Maroc (O.N.C.F.M.) relient Tanger et Marrakech *via* Rabat et Casablanca, Tanger et Oujda *via* Meknès et Fès, Casablanca et Oujda. Des rapides desservent les lignes Rabat-Casablanca et Casablanca-Marrakech. Les rapides ont généralement deux classes et sont climatisés. Quelques trains, principalement régionaux, com-

T

portent trois classes; en l'absence de voitures-restaurants, il est tout de même possible, d'ordinaire, de se procurer des sandwiches et des boissons sans alcool.

Sur certaines lignes circulent des voitures-couchettes et des voitures-lits avec air conditionné. Il est prudent de réserver les «places couchées» assez longtemps à l'avance. La ponctualité n'est pas de rigueur, mais arrivez tout de même quelques minutes avant l'heure du départ: hé oui, il arrive que des trains partent en avance!

Enfin, la carte *Inter-Rail* est valable sur le réseau marocain.

U

URGENCES. Selon la nature de votre problème, reportez-vous aux rubriques AMBASSADES ET CONSULATS, POLICE, SOINS MÉDICAUX.

Le personnel de votre hôtel pourra vous aider, de même que les membres de la Sûreté nationale ou de la police locale. Dans les grandes villes, composez le 15 pour une ambulance, et le 19 pour la police.

Index

Les numéros suivis d'un astérisque (*) renvoient à une carte ou à un plan. Un sommaire des *Informations pratiques* figure d'autre part à la page 2 de la couverture.

INDEX

138/902 MUD 38